POR QUE
os Homens Fazem Sexo e as Mulheres Fazem Amor?

Allan & Barbara Pease

POR QUE os Homens Fazem Sexo e as Mulheres Fazem Amor?

Uma visão científica (e bem-humorada) de nossas diferenças

23ª Edição

SEXTANTE

tradução
Neuza M. Simões Capelo

preparo de original
Regina da Veiga Pereira

revisão
José Tedin Pinto
Sérgio Bellinello Soares

capa
Silvana Mattievich

projeto gráfico
Marcia Raed

diagramação
Valéria Facchini de Mendonça

fotolitos
RR Donnelley

impressão e acabamento
Cromosete Gráfica e Editora Ltda.

CIP-BRASIL. CATALOGAÇÃO-NA-FONTE.
SINDICATO NACIONAL DOS EDITORES DE LIVROS

P375P Pease, Allan
Por que os homens fazem sexo e as mulheres fazem amor? : uma visão científica (e bem-humorada) de nossas diferenças / Allan Pease e Barbara Pease ; tradução Neuza M. Simões Capelo. – Rio de Janeiro : Sextante, 2000.

Tradução de: Why men don't listen & women can't read maps
ISBN 85-86796-52-2

1. Relação homem-mulher. 2. Sexo – Diferenças (Psicologia). I. Pease, Barbara. II. Título.

00-0530. CDD 306.7
CDU 392.6

EDITORA SEXTANTE / GMT EDITORES LTDA.
Rua Voluntários da Pátria, 45 – Gr. 1.404 – Botafogo
22270-000 – Rio de Janeiro – RJ
Tel.: (21) 2286-9944 – Fax: (21) 2286-9244
Central de Atendimento: 0800-22-6306
E-mail: atendimento@esextante.com.br
www.esextante.com.br

Sumário

Introdução
Um Passeio de Domingo 7

Capítulo 1
Espécies Iguais, Mundos Diferentes 10

Capítulo 2
Tudo Faz Sentido 19

Capítulo 3
Está Tudo Aí 36

Capítulo 4
Falando e Ouvindo 60

Capítulo 5
Habilidade Espacial 79

Capítulo 6
Pensamentos, Atitudes, Emoções e
Outros Campos Minados 90

Capítulo 7
Nosso Coquetel Químico 101

Capítulo 8
GAYS, LÉSBICAS E TRANSEXUAIS 115

Capítulo 9
HOMENS, MULHERES E SEXO 125

Capítulo 10
CASAMENTO, AMOR E ROMANCE 154

Capítulo 11
RUMO A UM FUTURO DIFERENTE 173

Introdução

Um Passeio de Domingo

Em uma tranqüila e ensolarada tarde de domingo, Bob, Sue e suas três filhas adolescentes tomaram o caminho da praia. Bob ia ao volante, e Sue, a seu lado, a todo momento se voltava para trás, participando da animada conversa das garotas. Bob tinha a impressão de que todas falavam ao mesmo tempo, criando uma balbúrdia danada. Até que não agüentou:

– Dá para vocês ficarem quietas?

Todas pararam de falar, surpresas.

– Por quê? – Sue perguntou.

– Porque eu estou tentando dirigir!

Elas se entreolharam, confusas.

– Tentando dirigir? – se perguntaram.

Não conseguiam entender por que a conversa atrapalhava.

E ele não entendia como podiam falar todas ao mesmo tempo, às vezes sobre assuntos diferentes, parecendo que ninguém ouvia ninguém. Por que não se calavam e deixavam que se concentrasse em dirigir o carro? Por causa do barulho, tinha deixado passar a última saída da estrada.

A questão fundamental aqui é simples: homens e mulheres são diferentes. Nem melhores nem piores – apenas diferentes. Cientistas, antropólogos e sociobiólogos sabem disso há anos, mas têm também a dolorosa certeza de que afirmar publicamente suas conclusões em um mundo politicamente correto como o nosso poderia transformá-los em verdadeiros párias de uma sociedade determinada a acreditar que homens e mulheres têm as mesmas habilidades, aptidões e potenciais – justamente quando a ciência começa a provar o contrário.

Aonde isso nos leva? Individualmente, a relacionamentos difíceis, penosos, infelizes. Como sociedade, a um terreno extremamente acidentado. Só o entendimento das diferenças entre homens e mulheres vai nos permitir começar a desenvolver nossa força coletiva – em lugar das fraquezas individuais. Neste livro, tratamos dos importantes avanços alcançados recentemente pela ciência da evolução humana e mostramos como as lições aprendidas se aplicam aos relacionamentos entre homens e mulheres. Vamos chegar a conclusões extremamente perturbadoras, às vezes. Controvérsias vão surgir. Mas vamos entender melhor muitas coisas estranhas e certamente aprender a conviver melhor. Se, pelo menos, Bob e Sue tivessem lido este livro antes daquela tarde de domingo...

POR QUE FOI TÃO DIFÍCIL ESCREVER ESTE LIVRO?

Para escrever este livro, percorremos mais de 400.000 quilômetros durante três anos de pesquisas, estudando artigos, entrevistando especialistas e fazendo palestras em seminários ao redor do mundo.

Uma das tarefas mais difíceis foi convencer o pessoal de empresas públicas e privadas a dar seu depoimento. Por exemplo: menos de um por cento dos pilotos da aviação comercial são mulheres. Quando tentamos conversar sobre isso com os funcionários de empresas aéreas, muitos se negaram a opinar, com medo de serem acusados de sexistas ou antifeministas. Muitos se defenderam com um "nada a declarar", e houve companhias que fizeram ameaças caso mencionássemos seus nomes no livro. As mulheres em cargos executivos foram, em geral, mais receptivas, embora muitas ficassem na defensiva e considerassem nossa pesquisa uma ameaça ao feminismo, mesmo antes de saber do que se tratava. Só conseguimos algumas opiniões mais francas de executivos de grandes empresas e professores universitários em off, em salas pouco iluminadas, a portas fechadas e com a garantia de que os nomes deles e dos locais onde trabalhavam não fossem mencionados.

Às vezes, você vai achar este livro bastante desafiador, às vezes, uma grande surpresa, mas sempre fascinante. Como se baseia em sólidas evidências científicas, usamos crenças, histórias e conversas do dia-a-dia, para que seja uma leitura agradável. Nosso objetivo é ajudar as pessoas a aprenderem mais sobre si mesmas e sobre o sexo oposto, tornando a interação e os relacionamentos mais ricos, prazerosos e promotores de crescimento mútuo.

Este livro é dedicado a todos os homens e mulheres que já ficaram até as duas da manhã arrancando os cabelos e perguntando a seus parceiros: "Mas por que é que você não entende?" Os relacionamentos não dão certo porque os homens não compreendem que as mulheres não podem ser como eles, e as mulheres esperam que os homens se comportem do mesmo modo que elas. A leitura não vai apenas ajudar você a se relacionar com o sexo oposto, mas a se entender. E, como resultado, conseguir uma vida mais feliz, saudável e harmoniosa.

BARBARA & ALLAN PEASE

Capítulo 1

Espécies Iguais, Mundos Diferentes

A Evolução de Uma Criatura Magnífica

Como já dissemos, homens e mulheres são diferentes. Na verdade, a única coisa que têm em comum é o fato de pertencerem à mesma espécie. Vivem em mundos distintos, com valores diversos e sob regras muito diferentes. Todo mundo sabe disso, mas poucos – os homens em particular – o admitem, apesar de sofrerem as conseqüências. Basta ver o seguinte: nos países ocidentais, cerca de 50 por cento dos casamentos acabam em divórcio, e os relacionamentos mais sérios não duram muito. Homens e mulheres de todas as culturas, credos e raças vivem em constante duelo com seus parceiros por causa de opiniões, comportamentos, atitudes e crenças.

ALGUMAS COISAS SÃO ÓBVIAS

Quando um homem vai ao banheiro, geralmente faz isso por uma razão específica. As mulheres usam o banheiro como espaço para reuniões sociais e sala de terapia. Podem entrar como estranhas e sair como amigas de infância. No entanto, se um homem disser: "Ei, cara, vou ao banheiro, quer ir comigo?", logo vai provocar suspeitas.

Homens tomam posse do controle remoto e ficam passando

de um canal para outro. Mulheres não se importam de assistir aos comerciais. Sob pressão, os homens bebem e começam guerras. As mulheres comem chocolate e vão fazer compras.

As mulheres criticam os homens por seu descaso, sua insensibilidade, porque não sabem ouvir, não são gentis e compreensivos, não conversam nem demonstram carinho, não levam a sério os relacionamentos, querem fazer sexo em vez de fazer amor e deixam o tampo do vaso levantado.

Os homens criticam as mulheres por dirigirem mal, não serem capazes de entender os mapas das ruas (que quase sempre viram de cabeça para baixo), porque não têm senso de direção, falam demais sem chegar ao ponto principal, não tomam iniciativa no sexo e deixam o tampo do vaso abaixado.

Os homens nunca conseguem encontrar nada, mas seus CDs estão sempre arrumados em ordem alfabética. As mulheres são capazes de achar as chaves do carro que estavam perdidas, mas é muito difícil conseguirem chegar a um lugar pelo caminho mais lógico. Os homens acham que são o sexo mais prático. As mulheres *sabem* que são elas.

Quantos homens são necessários para trocar um rolo de papel higiênico? Não se sabe, isso nunca aconteceu.

Os homens ficam maravilhados com a capacidade que as mulheres têm de entrar em um ambiente repleto de gente e fazer instantaneamente um comentário sobre cada pessoa que lá se encontra. Elas não entendem como eles podem ser tão pouco observadores. Os homens se espantam de ver que uma mulher não consegue enxergar a luzinha vermelha do óleo piscando no painel do carro, mas é capaz de detectar uma meia suja em um canto escuro a 50 metros de distância. As mulheres se admiram como um homem, que estaciona o carro em uma vaga apertada só olhando pelo retrovisor, não sabe onde fica o ponto G.

Se uma mulher está dirigindo e se perde, pára e pergunta. Para o homem, isso é sinal de fraqueza. Ele roda em círculos por horas, resmungando coisas como "descobri um outro caminho que vai dar lá" ou "estamos chegando" ou ainda "estou reconhecendo aquele posto de gasolina!".

TIPOS DE TRABALHO DIFERENTES

Homens e mulheres evoluíram de modos diferentes porque tinha de ser assim. Os homens caçavam, as mulheres ficavam com o grupo. Os homens protegiam, as mulheres cuidavam. Como resultado, seus corpos e cérebros tomaram rumos diversos no processo de evolução e se transformaram para se adaptarem melhor às suas funções específicas. Os homens se tornaram mais altos e mais fortes que a maioria das mulheres, e seus cérebros se desenvolveram para cumprir as tarefas que lhes cabiam. As mulheres ficavam satisfeitas de ver seus homens saírem para trabalhar enquanto elas mantinham o fogo aceso na caverna. Seus cérebros, então, evoluíram para atender às funções que precisavam desempenhar.

Assim, por milhões de anos, as estruturas dos cérebros de homens e mulheres foram se formando de maneiras diferentes. Hoje em dia, sabemos que homens e mulheres processam a informação de modos distintos. Pensam diferente. Têm crenças, percepções, prioridades e comportamentos diversos. Desconhecer este fato é uma receita certa de confusão, sofrimento e desilusão para toda a vida.

AS PESQUISAS COMPROVAM

A partir do final dos anos 80 houve uma explosão de pesquisas sobre diferenças entre homens e mulheres e sobre o modo como seus cérebros funcionam. Pela primeira vez, avançados equipamentos de mapeamento computadorizado nos permitiram ver o cérebro trabalhando "ao vivo", e essa observação da vasta paisagem da mente humana forneceu muitas respostas às questões sobre a diversidade entre os sexos. O material discutido neste livro foi coletado em estudos nas áreas da medicina, psicologia, sociologia e antropologia, e todos apontam claramente para um fato: nada é igual. Homens e mulheres são diferentes. Durante a maior parte do século XX, essas diferenças foram explicadas pelo condicionamento social, ou seja: somos como somos por causa das atitudes de nossos pais e professores, que, por sua vez, refletem as atitudes da sociedade em que vivem. Meninas se vestem de rosa e ganham bonecas de presente, meninos se vestem de azul e ganham uniformes de jogadores de futebol. Mocinhas são tocadas e acariciadas, rapazes levam tapas nas costas e aprendem que homem não chora. Até recentemente, acreditava-se que quando uma criança nasce sua mente é uma página em branco, onde os educadores imprimem suas escolhas e preferências. Recentes estudos de biologia mostram, porém, um panorama completamente novo e apontam os hormônios e o cérebro como os principais responsáveis por nossas atitudes, preferências e comportamento. Isso quer dizer que, ainda que criados em uma ilha deserta, sem uma sociedade organizada ou pais que os influenciassem, meninos competiriam física e mentalmente entre eles, formando grupos com uma nítida hierarquia, e meninas trocariam toques e carinhos, se tornariam amigas e brincariam com bonecas.

Os circuitos cerebrais e os hormônios determinam nosso comportamento e modo de pensar.

Como você verá, o modo como o cérebro é estruturado e os hormônios que circulam pelo corpo são dois fatores que determinam em grande parte nossa forma de pensar e de agir muito antes de nascermos.

SERÁ QUE TUDO NÃO PASSA DE UMA CONSPIRAÇÃO MASCULINA?

Desde os anos 60, vários grupos vêm tentando nos convencer a renegar nossa herança biológica. Afirmam que governos, seitas religiosas e sistemas educacionais se aliaram ao objetivo masculino de dominação, reprimindo as mulheres que tentavam se destacar. Um modo ainda mais eficiente de controle seria mantê-las sempre grávidas.

Historicamente, parece certo. Mas aí cabe a pergunta: se homens e mulheres são idênticos, como afirmam esses grupos, por que os homens sempre mantiveram sua dominação? O estudo do funcionamento do cérebro nos fornece muitas respostas. Nós não somos idênticos. Homens e mulheres devem ser iguais no direito à oportunidade de desenvolver plenamente suas potencialidades, mas, definitivamente, não são idênticos nas capacidades inatas. Se homens e mulheres têm direitos *iguais,* isto é uma questão política e moral. Se são *idênticos,* é uma questão científica.

A igualdade entre homens e mulheres é uma questão moral ou política. A diferença essencial é uma questão científica.

Quando afirmamos que as estruturas físicas e mentais de homens e mulheres são diferentes, estamos nos baseando em pesquisas de renomados paleontólogos, etnólogos, psicólogos, biólogos e neurocientistas. As diferenças entre os cérebros de homens e mulheres estão perfeitamente claras, acima de qualquer especulação, preconceito ou dúvida razoável.

Ao examinar as diferenças entre os sexos discutidas neste livro, algumas pessoas podem dizer: "Eu não sou assim", "Eu não faço isso". É claro que há muitas exceções, mas aqui estamos falando sobre a *média,* quer dizer, como a maioria dos homens e mulheres age a maior parte do tempo em quase todas as situações. "Média" significa que, se você estiver em uma sala cheia de gente, vai notar que as mulheres são mais baixas e mais miúdas que os homens. Pode ser que haja uma mulher mais alta e corpulenta que todos os homens, mas, em geral, os homens são mais altos e fortes. Segundo o livro *Guinness* de recordes, a pessoa mais alta e pesada tem sido quase sempre um homem. O ser humano mais alto já encontrado foi Robert Peshing, que media 2,79 metros, sendo que em 1999 a altura máxima foi a de Alan Channa, do Paquistão, com 2,31 metros.

SEU GUIA SOBRE O SER HUMANO

Este livro é como um guia para conhecer um país estrangeiro, uma outra cultura. Ele vai lhe fornecer várias informações para entender seus habitantes.

Os turistas, em sua maioria, viajam sem procurar se informar sobre o país que vão visitar e, chegando lá, se sentem intimidados ou começam a criticar porque o povo não fala a sua língua ou não come a mesma comida. Para aproveitar melhor a experiência de conhecer uma outra cultura é preciso entender primeiro sua história e evolução, aprender expressões básicas e conhecer um pouco de seu estilo de vida. Desse modo, ninguém vai agir como um turista – aquele que faria muito melhor ficando em casa.

Este livro vai lhe mostrar as vantagens de conhecer o sexo oposto. Mas, primeiro, é preciso entender sua história e evolução.

Vamos então ver como chegamos ao que somos.

Era uma vez, há muito, muito tempo, homens e mulheres vivendo juntos, felizes e trabalhando em harmonia. O homem, a cada dia, arriscava sua vida em um mundo perigoso e hostil, caçando para levar o alimento à sua mulher e filhos e enfrentando inimigos e animais selvagens. Desenvolveu o senso de direção e a pontaria, tornando-se capaz de localizar a caça, atingi-la mesmo em movimento e levá-la até o lugar onde vivia. A definição de seu trabalho era simples: caçador de comida. Isso era tudo o que se exigia dele.

A mulher, por seu lado, se sentia valorizada ao ver o homem expor a vida pela família. Homem de sucesso era aquele que conseguia bastante comida, e sua auto-estima dependia do reconhecimento da mulher aos seus esforços. A família só esperava que ele cumprisse suas tarefas de caçador e protetor – nada mais. Não era preciso "repensar o relacionamento" e ninguém lhe pedia para levar o lixo para fora nem trocar as fraldas do bebê.

O papel da mulher era também muito claro. A necessidade de ser uma perpetuadora da espécie apontou a direção em que devia evoluir e as habilidades a desenvolver para cumprir suas funções. Precisava ser capaz de detectar sinais que indicassem a aproximação do perigo, ter excelente senso de direção a curta distância, orientando-se por detalhes da paisagem para encontrar o caminho e, com sua extraordinária sensibilidade, identificar pequenas mudanças na aparência e no comportamento de crianças e adultos. Tudo muito simples: ele era o caçador da comida; ela, a guardiã da cria.

A mulher passava o dia cuidando das crianças, colhendo frutos e sementes e se relacionando com as outras mulheres do grupo. Não tinha que se preocupar com a parte principal do abastecimento de comida, e seu sucesso estava ligado à capacidade de manter a vida em família. Sua auto-estima dependia do valor que o homem dava a suas habilidades de zeladora e mãe. Ter filhos era um ato mágico, sagrado mesmo, como se só ela conhecesse o segredo da vida. Ninguém esperava que fosse caçar, enfrentar inimigos ou trocar lâmpadas.

A sobrevivência era difícil, mas o relacionamento era fácil. Assim foi por centenas de milhares de anos. Ao fim de cada dia, os caçadores voltavam com os animais abatidos, que eram divididos igualmente, e todos comiam juntos na caverna onde viviam. Cada homem entregava parte da caça à mulher, que, em troca, lhe dava frutos e sementes.

Depois de comer, os homens se sentavam em volta do fogo, contavam histórias, faziam brincadeiras e riam. Era uma versão pré-histórica da contínua troca de canais com o controle remoto ou da total concentração na leitura do jornal. Estavam exaustos depois de tanto esforço e precisavam se recuperar para caçar novamente no dia seguinte. As mulheres continuariam a cuidar das crianças e a garantir o descanso e a alimentação dos homens. Cada um apreciava o que o outro fazia – eles não eram considerados preguiçosos nem elas se sentiam como criadas oprimidas.

Esses rituais e comportamentos simples ainda são encontrados em civilizações primitivas, em lugares como Bornéu, parte da África e Indonésia e entre alguns aborígines australianos, maoris da Nova Zelândia e inuits do Canadá e Groenlândia. Nessas culturas, cada pessoa conhece e entende seu papel. Os homens admiram as mulheres e as mulheres admiram os homens. Cada um reconhece no outro uma contribuição única para a sobrevivência e o bem-estar da família. Mas, para quem vive nos modernos países civilizados, essas regras antigas foram abandonadas. O caos, a confusão e a infelicidade tomaram seu lugar.

MAS AS COISAS MUDARAM

A família não mais depende unicamente do homem para sua sobrevivência e não se espera mais que a mulher fique em casa exercendo as funções de mãe e zeladora. Pela primeira vez na história da espécie humana, a maior parte dos homens e mulheres se confunde na hora de definir suas atividades. Você faz parte da primeira geração a ter de encarar situações que seus antepassados nunca conheceram. Pela primeira vez, buscamos em nossos parceiros amor, romance e realização pessoal, já que a sobrevivência, garantida para muitos pela estrutura da sociedade moderna através de fundos de pensão, aposentadorias, leis de proteção ao consumidor e várias instituições governamentais, não é tão prioritária. Então, quais são as novas regras? Onde se pode aprender? Este livro tenta dar algumas respostas.

Se você nasceu antes de 1960, é bem possível que tenha crescido vendo seus pais se relacionarem segundo os antigos princípios de sobrevivência entre homem e mulher. Eles repetiam o comportamento que aprenderam com os pais *deles,* que, por sua vez, imitaram os pais *deles,* que copiaram os pais *deles,* e assim por diante, até chegar ao povo das cavernas com seus papéis claramente definidos.

Agora as regras mudaram completamente e seus pais não sabem como ajudar. O índice de divórcios entre os casamentos recentes está em torno de 50 por cento e, se levarmos em conta as uniões não oficializadas e os relacionamentos entre gays, a verdadeira taxa sobe para 70 por cento. Precisamos aprender as novas regras, se quisermos ser felizes e vivermos emocionalmente ilesos no século XXI.

Capítulo 2

TUDO FAZ SENTIDO

A festa já estava animada quando John e Sue chegaram. Sue encarou John e, praticamente sem mexer os lábios, disse:

– Veja o casal junto da janela...

John virou a cabeça.

– Não olhe agora! – ela reclamou. – Assim todo mundo nota!

Ela não conseguia entender por que ele tinha de virar a cabeça de modo tão ostensivo, e ele não compreendia como ela podia ver praticamente sem olhar.

Neste capítulo, vamos falar das pesquisas sobre diferenças de percepção sensorial entre homem e mulher e suas implicações nos relacionamentos.

A MULHER É UM RADAR

A mulher percebe claramente quando a outra pessoa está aborrecida ou magoada. O homem só desconfia que há algo errado depois de lágrimas, acessos de fúria ou tapas na cara. Isso acontece porque, como a maioria das fêmeas dos mamíferos, as mulheres possuem habilidades sensoriais muito mais aguçadas que os homens. Como perpetuadoras da espécie e guardiãs da cria, precisavam ser capazes de perceber mudanças sutis nas atitudes e no humor dos outros. O que comumente se chama de "intuição feminina" é, na verdade, a apurada capacidade que a mulher tem de notar detalhes e alterações mínimas na aparência e no comportamento de outras pessoas. Isso, historicamente, tem deixado os homens confusos. É que eles são flagrados. Sempre.

"Minha mulher consegue enxergar um fio de cabelo louro no meu casaco a 50 metros de distância, mas sempre esbarra na porta da garagem quando guarda o carro."

Um delegado em um dos nossos seminários disse que não conseguia entender como é que a visão maravilhosa de sua mulher para descobrir o que ele queria esconder desaparecia completamente quando ela tinha que estacionar o carro na garagem. Calcular, enquanto dirige, a distância entre o pára-choque do carro e a parede é uma habilidade espacial que fica localizada na parte frontal do hemisfério direito e não é muito desenvolvida na maioria das mulheres.

Para garantir a sobrevivência da família, as guardiãs da cria precisavam estar alertas para pequenas mudanças no comportamento de sua prole, que poderiam indicar dor, fome, doença, agressividade ou tristeza. Os homens, cumprindo sua função de caçadores de comida, nunca ficavam por perto tempo suficiente para aprender a interpretar os sinais não-verbais ou as formas de comunicação interpessoal. O professor Ruben Gur, neuropsicólogo da Universidade da Pensilvânia, usou tomografias para mostrar que, quando o cérebro de um homem está em repouso, sua atividade elétrica é interrompida em pelo menos 70 por cento. O estudo de cérebros femininos mostrou 90 por cento de atividade durante o mesmo estado, confirmando que as mulheres estão constantemente recebendo e analisando informações que chegam do ambiente que as cerca. A mulher conhece as esperanças, os amigos, sonhos, romances e medos secretos de seus filhos. Sabe em que pensam, como se sentem e, geralmente, que travessura estão planejando. O homem mal percebe aquela gente miúda que mora na mesma casa que ele.

OS OLHOS FALAM

O olho é uma extensão do cérebro situada do lado de fora do crânio. A retina e a parte de trás do globo ocular contêm cerca de 130 milhões de células em forma de bastão, chamadas "fotorreceptoras", para processar o branco e o preto, enquanto outros sete milhões de células em forma de cone processam as cores. O cromossomo X é o responsável por essas células. Como possui dois cromossomos X, a mulher tem uma variedade de cones maior que o homem, e isso se reflete na maneira detalhada como descreve as cores. O homem nomeia as cores com palavras simples, como vermelho, azul e verde. A mulher fala de cinza-grafite, verde-água, azul-turquesa, cor de malva e verde-maçã.

OLHOS ATRÁS DA CABEÇA?

Bem, não exatamente, mas quase. A mulher não só tem maior variedade de cones na retina como possui uma visão periférica mais abrangente que a do homem. Como guardiã da cria, tem o cérebro pronto para perceber um campo visual de pelo menos 45 graus de cada lado da cabeça e acima e abaixo do nariz. Muitas mulheres têm boa visão periférica de quase 180 graus. Os olhos do homem são maiores que os da mulher, e o cérebro masculino é configurado para uma visão a longa distância, do tipo "túnel", que o faz enxergar claramente em frente até muito longe, como se usasse binóculos.

Como caçador, o homem precisava ser capaz de identificar e perseguir alvos distantes. Desenvolveu, então, um tipo de visão em que parece usar antolhos, para que não se desvie do foco. A mulher precisava de um raio de visão que lhe permitisse perceber algum predador se aproximando. É por isso que o homem moderno consegue facilmente encontrar o caminho de um bar muito afastado, mas não é capaz de achar qualquer coisa na geladeira, no armário ou na gaveta.

Mulheres têm uma visão periférica mais ampla, homens têm visão do tipo "túnel".

Em 1997, 4.132 crianças foram atropeladas em estradas da Inglaterra, sendo que entre os feridos havia 2.460 meninos e 1.492 meninas. Na Austrália, o número de meninos acidentados passou do dobro do das meninas. Isso acontece porque os garotos, além de mais imprudentes, têm uma visão periférica menos desenvolvida.

O ESTRANHO CASO DA MANTEIGA DESAPARECIDA

Todas as mulheres do mundo já tiveram uma conversa assim com um homem parado na frente da geladeira aberta.

Ele: – Onde está a manteiga?

Ela: – Dentro da geladeira.

Ele: – Já procurei e não achei.

Ela: – Mas está aí. Não faz nem dez minutos que eu guardei.

Ele: – Não. Você deve ter guardado em outro lugar. Tenho certeza. A manteiga não está na geladeira.

Nesse momento, ela invade a cozinha, mete a mão na geladeira e, num passe de mágica, faz aparecer um tablete de manteiga. Homens ignorantes às vezes acham que tudo não passa de um truque e acusam as mulheres de esconder as coisas em gavetas e armários. Meias, sapatos, cuecas, geléia, manteiga, as chaves do carro, a carteira – está tudo lá, mas eles não enxergam. Com sua visão periférica mais ampla, a mulher consegue ver quase tudo o que está dentro da geladeira ou do armário sem mover a cabeça. O homem, quando procura um objeto "perdido", vira a cabeça para um lado e para outro, para cima e para baixo.

Essas diferenças na visão têm conseqüências importantes em nossas vidas. Estatísticas das empresas seguradoras, por exemplo, mostram que é muito raro uma motorista ser atingida na lateral ao atravessar um cruzamento. Seu campo de visão mais amplo lhe permite ver o que vem da esquerda ou da direita. É muito mais provável que ela dê uma batida de frente ou de ré quando estiver estacionando, já que sua orientação espacial é bem menos desenvolvida.

A vida da mulher é muito menos estressante quando ela entende a dificuldade que o homem tem de enxergar a curta distância. Por outro lado, quando uma mulher diz "Está no armário!", é melhor o homem acreditar e continuar procurando.

O HOMEM E A PAQUERA

O campo visual mais amplo é a causa de a mulher raramente ser surpreendida observando um homem.

Ao contrário, é difícil encontrar um homem que nunca tenha sido acusado de "devorar com os olhos" o sexo oposto. Pesquisas na área sexual realizadas em vários países concluem que as mulheres observam os corpos masculinos tanto quanto os homens observam os delas – talvez até mais. No entanto, com sua visão periférica superior, raramente são flagradas.

VER É CRER

A maioria das pessoas só acredita naquilo que vê – mas você pode acreditar em seus olhos?

O pesquisador Edward Boring projetou a ilustração que aparece a seguir para mostrar como várias pessoas podem ver coisas diferentes em uma mesma figura. As mulheres costumam ver uma velha com o queixo enfiado na gola de um casaco de peles, mas os homens geralmente vêem o perfil esquerdo de uma jovem que olha em frente.

O que você vê?

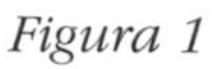

Figura 1

A figura 1 também mostra como podemos nos enganar. Nela, seu cérebro é levado a acreditar que a borda mais afastada da mesa é mais comprida que a mais próxima. Mulheres geralmente acham isso interessante, mas os homens querem provas e medem com uma régua.

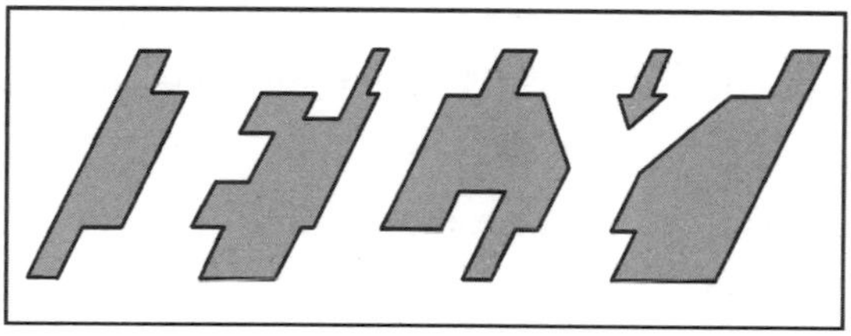

Figura 2

Na figura 2, seu cérebro focaliza a cor escura e o que se vê são várias formas indefinidas. Mas, se você mudar o foco e se concentrar nas partes brancas, verá surgir a palavra FLY. A mulher enxerga as letras com mais facilidade; o homem fica preso às formas geométricas.

POR QUE OS HOMENS DEVEM ASSUMIR A DIREÇÃO À NOITE?

Enquanto a mulher enxerga melhor no escuro que o homem, os olhos masculinos são mais eficientes quando se trata de um campo visual longo e estreito, o que lhes dá uma superior – e, portanto, mais segura – visão noturna a longa distância. Essa capacidade, combinada à sua boa orientação espacial comandada pelo hemisfério direito do cérebro, permite ao homem identificar o movimento dos outros veículos na estrada, tanto à frente quanto atrás. A maior parte das mulheres relata uma espécie de cegueira noturna: não consegue distinguir em que ponto da estrada estão os carros que se aproximam, o que os olhos de caçador tipicamente masculinos fazem com facilidade. Resumindo: no caso de uma viagem longa, é melhor a mulher dirigir durante o dia e o homem durante a noite.

Em viagens longas, as mulheres devem dirigir de dia, e os homens, à noite.

POR QUE AS MULHERES TÊM UM "SEXTO SENTIDO"?

As mulheres são tradicionalmente conhecidas como capazes de captar e interpretar sinais quase invisíveis, o que as faz muitas vezes prever o fim de relacionamentos, flagrar mentirosos, conversar com animais e descobrir a verdade.

Em 1978 fizemos uma experiência para um programa de televisão que comprovou a capacidade que a mulher tem de decifrar sinais da linguagem corporal de bebês. Em uma maternidade filmamos vários clipes de dez segundos em que apareciam recém-nascidos chorando. Depois, pedimos às mães que os assistissem com o som desligado, recebendo apenas informações visuais. A maioria rapidamente identificou situações que iam de fome e dor a cólicas e cansaço.

Quando os pais fizeram o mesmo teste, o índice de acertos foi lamentável – menos de dez por cento conseguiram identificar mais de dois motivos de choro. E assim mesmo desconfiamos que acertaram por sorte. Muitos afirmavam, confiantes: "Está sentindo falta da mãe." A maior parte não conseguia ver a diferença. Em um conjunto de 50 casais, uma mulher média leva menos de dez minutos para analisar o relacionamento de cada um dos outros. Quando entra em uma reunião, a mulher, com sua sensibilidade apurada, é capaz de identificar rapidamente quais são os casais que estão se dando bem, quais acabaram de ter uma discussão, quem está a fim de quem e que mulheres são suas rivais ou aliadas. Nossas câmeras mostraram que quando é um homem que chega a situação é completamente diferente. Ele olha em volta localizando entradas e saídas – sua "fiação" nervosa primitiva avalia de onde pode vir um ataque e quais seriam as possíveis rotas de fuga. Em seguida, procura rostos familiares ou inimigos em potencial e examina a disposição do cômodo. Seu raciocínio lógico registra defeitos, como janelas quebradas ou lâmpadas queimadas. Enquanto isso, a mulher já tomou pé da situação: sabe onde estão as coisas, quem é quem e qual a atmosfera local.

POR QUE OS HOMENS NÃO CONSEGUEM MENTIR PARA AS MULHERES?

Nossas pesquisas sobre linguagem corporal revelam que, na comunicação frente a frente, os sinais não-verbais respondem por 60 a 80 por cento do impacto da mensagem, enquanto os sons vocais são responsáveis por 20 a 30 por cento e sobram apenas de sete a dez por cento para as palavras. A mulher, com seu equipamento sensorial de alta qualidade, recebe e analisa as informações, e sua capacidade cerebral de fazer rapidamente transferências entre os hemisférios lhe permite integrar e decifrar com eficiência sinais visuais e verbais, além de outros.

É por isso que a maioria dos homens tem dificuldade em mentir para uma mulher frente a frente. Mas, como as mulheres sabem muito bem, é relativamente fácil mentir para um homem na mesma situação, já que ele não tem sensibilidade suficiente para notar alguma incompatibilidade entre os sinais verbais e não-verbais. A maior parte das mulheres se sai muito bem simulando um orgasmo. Um homem, se tem de mentir, fica bem mais à vontade ao telefone, por carta ou em completa escuridão, com a cabeça embaixo do cobertor.

ELA TAMBÉM ESCUTA MELHOR...

A mulher escuta melhor que o homem e distingue muito bem os sons mais agudos. O cérebro feminino é programado para ouvir um choro de criança no meio da noite, enquanto o pai pode não perceber e continuar dormindo. A mulher é capaz de ouvir um gato miando ao longe, mas o homem, com sua excelente habilidade de orientação espacial, consegue dizer onde está o bichano.

O homem consegue dormir apesar de um ruído que a mulher não suporta: torneira pingando.

Com uma semana de vida, as meninas são capazes de identificar a voz da mãe ou distinguir o choro de outro bebê entre os sons do ambiente. Os meninos não conseguem. O cérebro feminino tem a capacidade de isolar e selecionar os sons e de tomar decisões a respeito de cada um deles. Por isso, as mulheres conseguem prestar atenção a uma conversa íntima e ao mesmo tempo ouvir o que se diz em volta. E é também por isso que os homens têm tanta dificuldade em escutar alguém quando a televisão está ligada ou quando vem da cozinha o barulho de pratos. Se o telefone toca, o homem pede que se pare de falar, que se abaixe o som ou desligue a televisão para que ele possa ouvir. A mulher simplesmente atende.

A MULHER LÊ NAS ENTRELINHAS

As mulheres sentem melhor as diferenças no tom e no volume da voz, percebendo assim as mudanças de humor em crianças e adultos. Como conseqüência, para cada homem que consegue cantar com afinação há oito mulheres que fazem o mesmo. Isso explica também a famosa frase repetida pelas mulheres: "Não fale comigo neste tom de voz!" A maioria dos homens não faz a menor idéia do que ela quer dizer.

A superioridade da audição feminina contribui em grande parte para o que se chama de "intuição feminina" e é uma das razões para sua capacidade de "ler nas entrelinhas". Mas os homens não devem se desesperar. Eles são ótimos em identificar e imitar vozes de animais, o que, certamente, foi uma grande vantagem em seus tempos de caçador. Pena que não seja tão útil hoje em dia.

POR QUE OS MENINOS NÃO OUVEM?

Os meninos são, com freqüência, recriminados pelos pais e professores por sua falta de atenção. Mas, à medida que crescem, especialmente quando se aproxima a puberdade, seus canais auditivos passam por uma fase de desenvolvimento rápido que pode causar um tipo de surdez temporária. Notou-se que as professoras repreendem meninas e meninos de formas diversas e parecem compreender intuitivamente as diferenças de audição entre eles. A professora não se importa e continua a falar se uma garota desvia o olhar enquanto recebe uma advertência. Mas, se é um garoto, muitas professoras intuem que ele não está ouvindo e dizem: "Olhe para mim quando eu falar com você." Os meninos têm melhor visão que audição.

OS HOMENS NÃO REPARAM EM DETALHES

Lyn e Chris estão voltando de carro de uma festa. Ela orienta e ele dirige, e acabam de ter uma discussão porque ela lhe disse para virar à esquerda quando queria dizer à direita. Passam-se nove minutos de silêncio até que ele suspeita de alguma coisa:

– Querida... está tudo bem? – ele pergunta.

– Está tudo *ótimo!* – ela responde.

A ênfase que deu à palavra "ótimo" confirma que nada está bem. Ele passa em revista o que aconteceu na festa.

– Eu fiz alguma coisa errada esta noite?

– Não quero falar sobre isso! – ela dispara.

Significa que está zangada e *quer* falar sobre o assunto. Ele continua completamente perdido, sem entender o que possa ter feito para ela ficar tão aborrecida.

– Me diz, por favor, o que foi que eu fiz?

Geralmente, em situações como essa, o homem está dizendo a verdade – ele simplesmente não entende o problema.

– Está bem. Já que você fica se fazendo de inocente, eu vou dizer.

Mas não é fingimento. Ele realmente não sabe. Ela respira fundo.

– Aquela perua passou a noite toda dando em cima de você e, em vez de sair fora, você bem que gostou!

Agora é que ele não entende mais nada. Que perua? Quem estava dando em cima dele? Ele não notou coisa alguma!

Vejamos: enquanto a "perua" (essa é uma expressão feminina, os homens diriam que era uma "gata") conversava com ele, inclinava o quadril, lançava olhares demorados em sua direção, mexia no cabelo, passava a mão na coxa, segurava o lóbulo da orelha, brincava com a haste do copo de vinho e falava como uma garotinha. Ele é um caçador. Consegue enxergar uma zebra à distância e dizer a que velocidade ela está correndo. Não tem a habilidade feminina de identificar os sinais visuais, vocais e de linguagem corporal que indicam o interesse da outra pessoa. As mulheres que estavam na festa perceberam as intenções da "perua" sem precisar nem mesmo mover a cabeça. E uma mensagem telepática de "perua na área" foi enviada e recebida por todas. A maior parte dos homens nem notou.

Portanto, em uma situação assim, quando um homem disser que está falando a verdade, é provável que esteja mesmo. O cérebro masculino não está preparado para ouvir ou enxergar detalhes.

A MÁGICA DO TOQUE

O toque é fundamental para a vida. Testes feitos em macacos por Harlow e Zimmerman demonstraram que a falta do toque em macacos muito jovens causava depressão, doenças e morte prematura. Resultados semelhantes foram constatados em crianças abandonadas. Um estudo com bebês de dez semanas a seis meses chegou a um resultado impressionante: os filhos das mulheres que foram instruídas a fazer carinhos neles tinham muito menos gripes, resfriados, vômitos e diarréia do que aqueles que não recebiam afagos. Outra pesquisa concluiu que mulheres neuróticas ou deprimidas se recuperavam melhor quando eram acariciadas, e, quanto mais demorados e freqüentes os toques, mais rápida a recuperação.

James Prescott, pioneiro no estudo da relação educação-violência, chegou ao seguinte resultado: nas sociedades em que não há o hábito de acariciar as crianças estão os mais altos índices de adultos violentos. As que crescem cercadas de carinho geralmente se tornam pessoas melhores, mais saudáveis e felizes. Pedófilos e pessoas com desvios sexuais freqüentemente têm em suas vidas histórias de rejeição, violência e indiferença na infância, às vezes passada em instituições. Em muitas culturas que não praticam o toque físico, os animais de estimação suprem essa carência. Esse contato tem se revelado valioso na superação da depressão e de outros problemas mentais.

MULHERES SÃO SENSORIAIS

A pele é a parte mais extensa do corpo humano, chegando a medir cerca de dois metros quadrados. Nela, distribuídos de maneira irregular, há 2.800.000 receptores para a dor, 200.000 para a temperatura e 500.000 para o toque e a pressão. Desde que nascem, as meninas são muito mais sensíveis ao toque e, quando adultas, a sensibilidade de sua pele é pelo menos dez vezes maior que a dos meninos. Um estudo cuidadoso concluiu que mesmo os meninos mais sensíveis ao toque não chegavam ao índice alcançado pelas meninas de menor sensibilidade. A pele da mulher é mais fina que a do homem e tem uma camada de gordura que aquece no inverno e dá maior resistência.

A ocitocina é o hormônio que provoca a vontade de ser tocada e dispara os receptores do toque. É fora de dúvida que a mulher, com receptores dez vezes mais sensíveis que os do homem, dá maior importância aos carinhos que faz em seu companheiro, seus filhos e amigos. Uma pesquisa sobre linguagem corporal demonstrou que a mulher ocidental, durante uma simples conversa, geralmente toca em outra mulher de quatro a seis vezes mais que o homem em outro homem. Mulheres usam uma variedade maior de expressões sensoriais: uma pessoa de sucesso tem um "toque mágico", outra indelicada pode ser "casca grossa". Adoram "manter contato", mas não gostam de quem "gruda". Descrevem um acontecimento como "tocante", uma "verdadeira sensação". Falam em dar um "toque pessoal". Se aborrecem com quem "cai na sua pele" e fica "batendo na mesma tecla".

A mulher é de quatro a seis vezes mais propensa a tocar em outra mulher durante uma conversa do que o homem tocar em outro homem.

É provável que a mulher, quando zangada e não querendo qualquer contato com um homem, diga: "Não me toque!" Para ele, o aviso não causa grande efeito. Que lição se tira daí? Para ganhar pontos com as mulheres, toque, mas não agarre. Para as crianças se desenvolverem mentalmente saudáveis, faça muito carinho nelas.

POR QUE OS HOMENS TÊM A PELE TÃO GROSSA?

A pele dos homens é mais grossa que a das mulheres. É por isso que elas têm mais rugas. Nas costas, a pele masculina é quatro vezes mais grossa do que na barriga, herança de seu passado de quadrúpede, quando precisava de mais proteção para o caso de um ataque por trás. Quando chega à puberdade, o rapaz já perdeu grande parte de sua sensibilidade ao toque. É o corpo se preparando para os rigores da caçada. O homem precisava ter uma pele menos sensível para poder correr entre plantas cheias de espinhos e entrar em luta corporal com animais e inimigos sem que a dor o incomodasse. Por isso, às vezes nem percebe um ferimento durante uma atividade física ou esportiva.

Na verdade, o rapaz não perde a sensibilidade da pele quando chega à adolescência.
É que ela se concentra num só lugar...

A não ser que esteja inteiramente absorvido por uma atividade, o homem é muito menos resistente à dor que a mulher. Se ele, entre gemidos, pedir "uma canja/um suco de laranja/um saco de água quente/chame o médico e veja se meu testamento está em ordem", é provável que tenha um simples resfriado. Além disso, é menos sensível ao sofrimento e ao desconforto da sua mulher. Se ela estiver cheia de dor, com febre de 40 graus, tiritando embaixo das cobertas, ele é capaz de perguntar: "Tudo bem, querida?" Não é maldade ou descaso, é pura incapacidade.

Mas existem situações em que a sensibilidade masculina fica mais aguçada. Ao assistir a uma partida de futebol ou a esportes violentos, por exemplo. Se, durante uma luta de boxe, um dos lutadores é atingido por um golpe baixo, a mulher diz "Hum, deve ter doído", mas o homem geme, se contorce e *sente* a dor.

O GOSTO DA VIDA

Na mulher, os sentidos do paladar e do olfato são superiores aos do homem. O ser humano tem até 100.000 receptores para identificar pelo menos quatro gostos principais: doce e salgado na ponta da língua, azedo nas laterais e amargo na parte de trás. Os homens se saem melhor na percepção de salgado e amargo enquanto que as mulheres são muito melhores em distinguir doces – por isso há mais "chocólatras" entre elas. Como guardiã da cria e colhedora de frutos, a mulher sempre tinha de provar os que dava aos filhos, vendo se estavam doces e maduros. Eis aí uma provável causa de as mulheres gostarem tanto de doces e de estar entre elas a maioria dos provadores de alimentos.

ALGUMA COISA NO AR

Na mulher, o sentido do olfato não apenas é superior ao do homem médio, como fica ainda mais apurado durante o período da ovulação. O olfato feminino consegue inconscientemente detectar odores associados ao sexo masculino. O cérebro feminino decodifica o estado do sistema imunológico do homem e, se for compatível com o dela ou mais forte, ela diz que aquele homem é muito atraente ou "estranhamente magnético". Se seu sistema imunológico for mais forte que o dele, provavelmente ela não vai sentir grande atração.

Pesquisadores da atividade cerebral concluíram que o cérebro feminino é capaz de analisar em segundos essas diferenças no sistema imunológico. Um resultado desse estudo foi a grande quantidade de cremes e perfumes masculinos lançados no mercado contendo elementos químicos que produzem nas mulheres uma atração irresistível.

POR QUE OS HOMENS SÃO CHAMADOS DE "INSENSÍVEIS"?

Não é que as mulheres sejam supersensíveis. Os homens é que tiveram os sentidos embotados. Como no mundo feminino a percepção é muito mais desenvolvida, elas esperam que eles também sejam capazes de ler seus sinais de linguagem verbal, vocal e corporal e adivinhar seus desejos, tal como faria outra mulher. Por causa da origem e evolução da espécie humana, como já vimos, isso não é possível. A mulher parte do princípio de que o homem vai ser capaz de descobrir o que ela quer ou precisa e, quando isso não acontece, diz que ele é "insensível, nem desconfiou!". Ele reclama: "E eu sou obrigado a ler os seus pensamentos?"

As pesquisas mostram que os homens não são bons "leitores de mentes". A boa notícia é que, com treinamento, eles podem melhorar muito.

No próximo capítulo há um teste que vai lhe mostrar a orientação sexual de seu cérebro e explicar por que você é como é.

Capítulo 3

Está Tudo Aí

Estas ilustrações bem-humoradas dos cérebros masculino e feminino só são engraçadas porque têm um fundo de verdade. Mas verdade até que ponto? Bem, mais do que se poderia pensar a princípio. Neste capítulo, vamos examinar os mais recentes resultados das pesquisas sobre o cérebro. Você vai abrir os olhos para a realidade.

No final incluímos um teste simples, mas eficiente, para explicar o porquê do funcionamento do seu cérebro.

Tenha um pouco de paciência e leia este capítulo com atenção antes de passar para a descrição das diferenças de comportamento e do que se pode fazer a respeito. É só entendendo a origem das diferenças que conseguiremos ser mais tolerantes com elas.

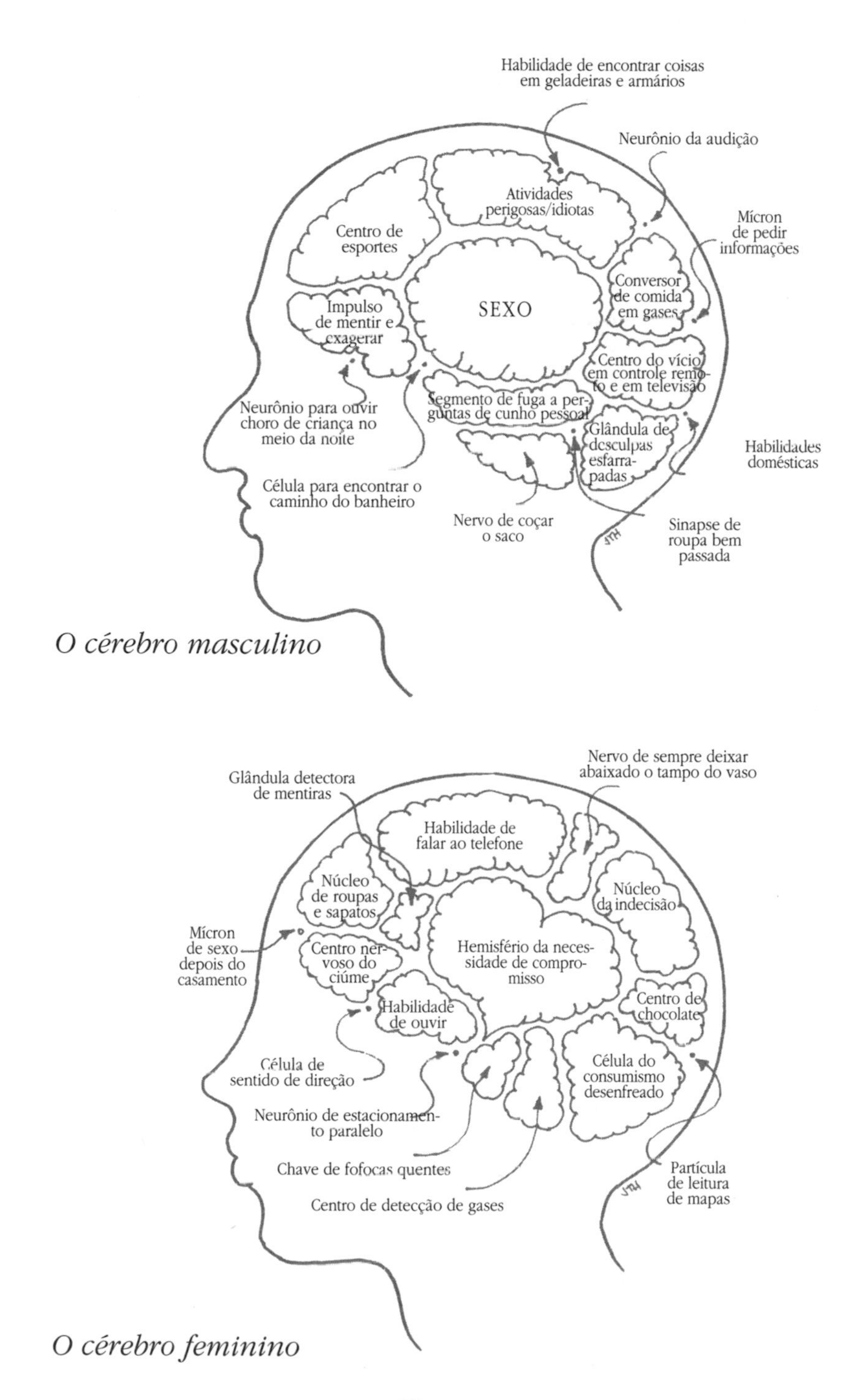

Habilidade de encontrar coisas em geladeiras e armários
Neurônio da audição
Atividades perigosas/idiotas
Centro de esportes
Mícron de pedir informações
Conversor de comida em gases
SEXO
Impulso de mentir e exagerar
Centro do vício em controle remoto e em televisão
Segmento de fuga a perguntas de cunho pessoal
Neurônio para ouvir choro de criança no meio da noite
Glândula de desculpas esfarrapadas
Habilidades domésticas
Célula para encontrar o caminho do banheiro
Nervo de coçar o saco
Sinapse de roupa bem passada
O cérebro masculino
Nervo de sempre deixar abaixado o tampo do vaso
Glândula detectora de mentiras
Habilidade de falar ao telefone
Núcleo de roupas e sapatos
Núcleo da indecisão
Mícron de sexo depois do casamento
Centro nervoso do ciúme
Hemisfério da necessidade de compromisso
Centro de chocolate
Habilidade de ouvir
Célula de sentido de direção
Célula do consumismo desenfreado
Neurônio de estacionamento paralelo
Chave de fofocas quentes
Partícula de leitura de mapas
Centro de detecção de gases
O cérebro feminino

SOMOS OS MAIS ESPERTOS

São nítidas as diferenças entre os cérebros de um gorila, do homem de Neandertal e de um ser humano moderno. Em primeiro lugar, nosso cérebro é mais de três vezes maior que o do gorila e um terço maior que o do nosso ancestral primitivo. O estudo de fósseis evidencia que esse tamanho permaneceu igual nos últimos 50.000 anos, além de terem sido poucas as alterações nas funções cerebrais.

Como já dissemos, os cérebros masculinos e femininos evoluíram com potência, capacidades e talentos diversos. O homem, responsável pela caça, precisava de áreas no cérebro que comandassem a travessia de longas distâncias, com o desenvolvimento de táticas para localizar e atingir o alvo. Não tinha de ser bom de conversa nem se ligar nas emoções alheias. Por isso, não produziu em seu cérebro regiões importantes dedicadas ao relacionamento interpessoal.

A mulher, ao contrário, precisava da aptidão para percorrer pequenas distâncias, visão periférica mais ampla para monitorar o ambiente em volta, habilidade de fazer várias coisas ao mesmo tempo e boa capacidade de comunicação. Como resultado dessas necessidades diferentes, os cérebros masculino e feminino desenvolveram áreas específicas para comandar cada tarefa.

COMO O CÉREBRO DEFENDE O TERRITÓRIO

É comum se dizer que é muito difícil eliminar um hábito enraizado. Os cientistas afirmam que o que se chama de "velhos hábitos" é a memória genética viva e operando. Era de se esperar que dezenas de milhares de anos de vida em cavernas, sempre com a atenção voltada para o que se passava em torno, visando à defesa do território, enfrentando as mais variadas ameaças à sobrevivência, deixassem algum tipo de marca nos homens.

Veja quando estão em um restaurante. A maioria deles prefere sentar de costas para a parede, de frente para a entrada. Assim se sentem confortáveis, seguros e ficam alertas. Não é provável que alguém esteja observando escondido. Se houver nos dias de hoje um ataque de surpresa, a arma mais perigosa será uma conta astronômica. As mulheres, por outro lado, não se importam de dar as costas para um espaço aberto, a menos que estejam sós com seus filhos, quando, então, também se sentam contra a parede.

Em casa, os homens agem igualmente por instinto: escolhem o lado da cama mais próximo da porta do quarto – ato simbólico de defesa da entrada da caverna. Se um casal muda de casa ou se hospeda em um hotel onde a porta fica do lado da mulher na cama, o homem pode se sentir inquieto ou não conseguir dormir, sem saber por quê. Geralmente, a simples troca, deixando para ele o lado mais perto da saída, resolve o problema.

O homem casado brinca dizendo que dorme perto da porta para o caso de precisar fugir da mulher. Na verdade, é puro instinto de sobrevivência.

Quando o homem está fora de casa, a mulher geralmente assume o papel de protetora e passa a dormir no lado dele na cama. Durante a noite, a mulher acorda imediatamente de um sono profundo caso ouça um som agudo, como o choro de uma criança. O homem, para desespero de sua companheira, continua a dormir. Mas seu cérebro é estruturado para escutar sons associados a movimentos e mesmo um galho de árvore estalando do lado de fora é capaz de fazer com que ele desperte em uma fração de segundo para defender a família de um possível ataque. Nesse caso, a mulher continua dormindo – a não ser que o marido esteja fora e seu cérebro assuma o papel dele, passando a ouvir qualquer som ou movimento que possam ameaçar a cria.

O CÉREBRO POR TRÁS DO SUCESSO

Em 1962, Roger Sperry ganhou o prêmio Nobel por provar que os dois hemisférios do córtex cerebral são responsáveis por diferentes funções intelectuais. Os avanços da tecnologia nos permitem, nos dias atuais, ver como o cérebro opera, apesar de nossa compreensão de seu funcionamento ser ainda insuficiente. Sabemos que o hemisfério direito, a parte criativa, controla o lado esquerdo do corpo, e o hemisfério esquerdo controla a lógica, a razão, a fala e o lado direito do corpo. A linguagem e o vocabulário estão localizados à esquerda, especialmente no homem, enquanto que à direita ficam o armazenamento e o controle das informações visuais.

Nos canhotos predomina o hemisfério direito do cérebro, que é o lado criativo. Deve-se a isso o grande número de artistas geniais que são canhotos, entre eles Albert Einstein, Leonardo da Vinci, Picasso, Lewis Carrol, Greta Garbo, Robert De Niro e Paul McCartney. Entre os canhotos há mais mulheres que homens, e 90 por cento dos seres humanos são destros.

Testes comprovam que as mulheres são três por cento mais inteligentes que os homens.

Até os anos 60, a maior parte dos dados coletados sobre o cérebro humano vinha de estudos feitos nos corpos de soldados mortos no campo de batalha. E não faltava material. O problema, porém, é que quase todas as vítimas eram do sexo masculino e partia-se do pressuposto de que o cérebro feminino funcionava da mesma forma.

Hoje, pesquisas revelam que o cérebro da mulher funciona de modo bem diferente do cérebro do homem. É essa a maior fonte de problemas no relacionamento entre os sexos. O cérebro feminino é um pouco menor que o masculino, mas os estudos mostram que isso não interfere no seu desempenho. Em 1997, Berte Pakkenberg, do Departamento de Neurologia do Hospital Municipal de Copenhague, na Dinamarca, demonstrou que, em média, o homem possui cerca de quatro bilhões a mais de neurônios que a mulher, apesar de que, em geral, ela alcança uma pontuação cerca de três por cento mais alta nos testes de inteligência.

LOCALIZAÇÃO NO CÉREBRO

Aqui está uma visão comumente aceita das funções controladas pelos dois lados do cérebro:

Hemisfério esquerdo	***Hemisfério direito***
Lado direito do corpo	*Lado esquerdo do corpo*
Habilidades matemáticas	*Criatividade*
Expressão verbal	*Talento para as artes*
Lógica	*Habilidade visual*
Fatos	*Intuição*
Dedução	*Idéias*
Análise	*Imaginação*
Prática	*Holismo*
Ordem	*Melodias*
Letras de música	*Visão do todo*
Hereditariedade	*Orientação espacial*
Percepção de detalhes	*Multiprocessamento*

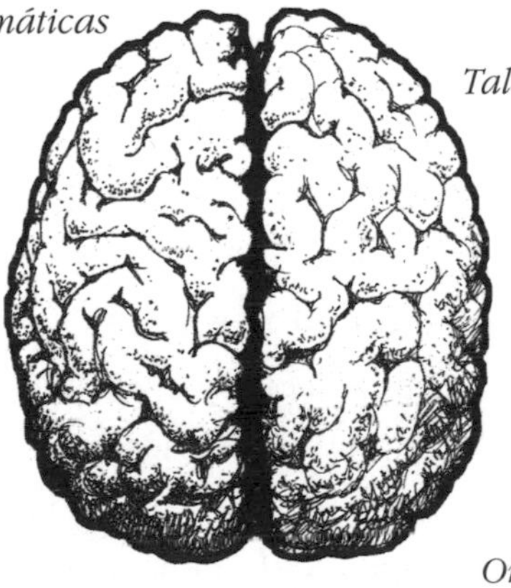

As pesquisas e o conhecimento sobre o cérebro humano avançam dia a dia, mas as interpretações dos resultados variam bastante. Em alguns pontos, porém, cientistas e pesquisadores concordam. Com o uso dos exames de ressonância magnética que medem a atividade elétrica é possível identificar a localização exata e avaliar as muitas funções específicas do cérebro, observando qual é a parte que está executando cada tarefa. Quando o exame mostra a localização de uma determinada habilidade ou função, quer dizer que a pessoa provavelmente se sai bem nela, gosta de praticá-la e se sente atraída por atividades em que possa ser usada.

Por exemplo: a maioria dos homens tem no cérebro uma localização específica para o senso de direção e vem daí sua facilidade nesse aspecto. Gostam de planejar rotas e sentem-se atraídos por ocupações e passatempos em que possam utilizar suas capacidades de orientação e navegação. As mulheres têm áreas específicas para a fala – são boas nisso. Por esse motivo, voltam-se para atividades em que a fala é muito usada, como terapias, aconselhamento e educação. A falta de uma localização exata para certa habilidade no cérebro significa que a pessoa não tem um talento natural para ela e não gosta de tarefas em que seja indispensável sua utilização.

AS PRIMEIRAS PESQUISAS SOBRE O CÉREBRO

Foram muitas as pesquisas feitas sobre o cérebro. As primeiras pesquisas sobre a localização específica das funções do cérebro foram realizadas em pacientes que tinham sofrido algum tipo de lesão cerebral. Homens com lesões cerebrais no lado direito do cérebro perderam quase toda a sua habilidade de orientação espacial – a capacidade de pensar em três dimensões e de girar um objeto em sua mente para visualizá-lo por diferentes ângulos. Isto porque, no caso da planta de uma construção, por exemplo, enquanto a mulher só a vê em duas dimensões, o cérebro masculino permite que o homem a veja tridimensionalmente, imaginando como vai ficar o prédio depois de pronto. Apesar de sua menor capacidade, mulheres com lesões cerebrais exatamente no mesmo lugar que esses homens tiveram pouca ou nenhuma alteração em suas habilidades espaciais.

Os homens com o cérebro lesionado no lado esquerdo perderam grande parte ou toda a sua capacidade de fala e vocabulário, além de terem muito mais dificuldade na recuperação. As mulheres com o mesmo tipo de lesão não tiveram um prejuízo tão extenso, indicando que possuem mais de um centro de fala. Doreen Kimura, da cadeira de Psicologia da Universidade de Ontário, concluiu que na mulher os problemas de fala só acontecem se a lesão for no lobo frontal de qualquer dos hemisférios.

A gagueira é um problema quase exclusivo do sexo masculino, havendo três ou quatro meninos para cada menina nas classes de recuperação do curso de alfabetização. Em suma, quando se trata de fala e conversação, o sexo masculino tem menos habilidade. Essa constatação não surpreende a maioria das mulheres. Há milhares de anos elas vêm arrancando os cabelos por causa da falta de diálogo masculina.

COMO SE ANALISA O CÉREBRO

A partir do início dos anos 1990, os equipamentos de análise do cérebro vêm se aperfeiçoando, a ponto de agora ser possível observar por um monitor o cérebro em atividade. Marcus Raichle, da Faculdade de Medicina da Universidade de Washington, demarcou áreas do cérebro onde há metabolismo mais intenso, apontando com precisão os locais responsáveis por habilidades específicas.

Na Universidade de Yale, em 1995, um grupo de cientistas

chefiado pelos Drs. Bennet e Sally Shaywitz testou homens e mulheres para determinar qual parte do cérebro é responsável pela formação de rimas. A ressonância magnética confirmou que o homem utiliza principalmente o lado esquerdo para tarefas ligadas à fala, enquanto que a mulher usa os dois lados. Essa experiência, junto com inúmeras outras feitas na década de 1990, demonstra que cérebros masculinos e femininos funcionam de modos diferentes.

A pesquisa mostra também que o lado esquerdo do cérebro das meninas se desenvolve mais depressa que o dos meninos. Por isso, elas falam melhor e mais cedo, conseguem ler antes e aprendem mais rapidamente uma segunda língua. E é por isso também que os consultórios dos fonoaudiólogos estão cheios de meninos.

Nos meninos, no entanto, o lado direito do cérebro amadurece antes do das meninas. Assim, desenvolvem melhor e mais cedo a percepção, a lógica e a orientação espacial. De um modo geral são superiores em matemática, em construções, na montagem de quebra-cabeças e na resolução de problemas.

Pode parecer politicamente correto fingir que as diferenças entre os sexos são pequenas e sem importância, mas inúmeras evidências apontam em outra direção: fomos estruturados de maneiras diferentes e evoluímos com inclinações e habilidades inatas incrivelmente variadas.

POR QUE AS MULHERES SÃO MELHOR CONECTADAS?

A ligação entre o lado direito e o lado esquerdo do cérebro é feita por um feixe de fibras nervosas chamado "corpo caloso". É essa comunicação entre os dois hemisférios que permite a troca de informações. Imagine um computador sobre cada um de seus ombros e entre eles um cabo. Esse cabo é o corpo caloso.

O neurologista Roger Gorski, da Universidade da Califórnia,

em Los Angeles, confirmou que o cérebro feminino tem o corpo caloso mais denso e com mais 30 por cento de conexões que o masculino. Provou também que homens e mulheres usam áreas diferentes do cérebro para executar a mesma tarefa. Cientistas de outras partes do mundo chegaram à mesma conclusão.

A pesquisa revelou ainda que é o estrogênio, hormônio feminino, que estimula as células nervosas a fazer novas conexões dentro do cérebro e entre os dois hemisférios. Estudos demonstram que, quanto mais conexões, maior a fluência na conversação. Explica-se assim também tanto a capacidade que a mulher tem de fazer várias coisas diferentes ao mesmo tempo quanto a intuição feminina. Como já vimos, as mulheres têm um equipamento sensorial melhor e, com a multiplicidade de fibras para conexão e transferência de informações entre os hemisférios, não admira que consigam intuitivamente avaliar pessoas e situações com rapidez e precisão.

POR QUE OS HOMENS SÓ CONSEGUEM FAZER "UMA COISA DE CADA VEZ"?

Todos os estudos que pesquisamos confirmam: o cérebro masculino é especializado. Compartimentado. Configurado para se concentrar em uma atividade específica. Por isso, a maioria dos homens diz que só pode fazer uma coisa de cada vez. Quando um homem pára o carro para consultar um mapa, o que faz primeiro? Desliga o rádio! A mulher geralmente não compreende isso. Se ela lê, ouve e fala ao mesmo tempo, por que ele não faz o mesmo? Por que ele insiste em que se desligue a televisão quando o telefone toca? "Por que ele não escuta o que eu digo quando está lendo jornal ou vendo TV?" – é uma queixa comum entre as mulheres do mundo todo. A resposta é que, devido ao número menor de fibras conectoras entre os hemisférios e à compartimentação, o cérebro masculino é configurado para uma coisa de cada vez. Observe a imagem do cérebro de um homem enquanto ele está lendo e você vai ver que ele fica virtualmente surdo.

O cérebro feminino é configurado para tarefas múltiplas. A mulher atende um telefonema enquanto prepara uma nova receita e assiste à televisão. Ou dirige, retoca a maquiagem, ouve rádio e fala ao telefone viva-voz. Se um homem estiver cozinhando e alguém lhe dirigir a palavra, ele provavelmente vai ficar uma fera, porque não consegue ler a receita e escutar ao mesmo tempo. Enquanto está se barbeando, precisa de silêncio, senão se corta. Quase toda mulher já foi acusada de ter feito o homem perder uma saída na estrada por estar falando com ele. Uma até nos disse que, quando está com raiva do marido, conversa enquanto ele faz algum conserto usando o martelo. E ele acerta a unha!

Por usarem ambos os lados do cérebro ao mesmo tempo, muitas mulheres – mais ou menos a metade delas – têm dificuldade em apontar qual é a mão esquerda e qual é a direita sem primeiro procurar uma indicação, como um anel ou um sinal. Os homens, ao contrário, como utilizam um lado do cérebro de cada vez, acham muito mais fácil identificar esquerda e direita. É por isso que mulheres em todos os cantos do mundo são criticadas por dizerem "dobre à direita" quando queriam dizer "dobre à esquerda".

FAÇA O TESTE DA ESCOVA DE DENTES

Experimente: escove os dentes. A maioria das mulheres consegue escovar os dentes andando e falando. Elas vão mais além: são capazes de movimentar a escova para cima e para baixo com uma das mãos enquanto com a outra dão polimento em um móvel com movimentos circulares. Quase todos os homens acham isso muito difícil, senão impossível.

Quando um homem escova os dentes, seu cérebro programado para uma coisa de cada vez se dedica inteiramente a essa tarefa. Ele se posiciona junto à pia, os pés a 30 centímetros um do outro, inclina-se levemente e movimenta a cabeça para a frente e para trás contra a escova, geralmente no mesmo ritmo da água corrente.

A IDENTIDADE SEXUAL

Quase todos nós temos 46 cromossomos, que são a planta ou os tijolos da construção genética. Vinte e três cromossomos vêm da mãe e 23 do pai. Se o 23º cromossomo da mãe for do tipo X (tem a forma de um X) e o 23º do pai for também do tipo X, o resultado é um bebê XX: uma menina. Mas, se o 23º cromossomo do pai for do tipo Y, o bebê será XY, um menino. O molde básico para o corpo e o cérebro humanos é feminino – todos começamos como meninas – e é por isso que os homens têm características femininas, como mamilos e glândulas mamárias.

Até seis a oito semanas a partir da concepção o feto é mais ou menos assexuado e pode desenvolver órgãos genitais masculinos ou femininos.

O Dr. Gunther Dorner, renomado cientista alemão, pioneiro em estudos nessa área, foi dos primeiros a apresentar a teoria de que nossa identidade sexual se forma entre seis e oito semanas depois da concepção. Sua pesquisa demonstrou que, se o feto é geneticamente um menino (XY), desenvolve células especiais que fazem circular pelo corpo grandes quantidades de hormônio masculino, especialmente testosterona, formando os testículos e configurando o cérebro para traços e comportamentos masculinos, tais como visão a longa distância e habilidades espaciais que lhe permitam perseguir, atirar e caçar.

Digamos que um feto do sexo masculino (XY) precise de uma certa quantidade de hormônio para formar os genitais e o triplo desta para configurar o cérebro com um sistema operacional correspondente, mas, por motivos que vamos discutir adiante, não seja aplicada a dosagem necessária. Digamos que precise de quatro doses e só receba três. A primeira dose forma os órgãos genitais masculinos, sobrando duas para o cérebro, que fica dois terços masculino e um terço feminino. Vai nascer um menino que, quando adulto, terá um cérebro masculino na essência, porém com algumas capacidades e padrões de pensamento tipicamente femininos. Se esse mesmo feto recebesse apenas duas doses de hormônio masculino, uma iria para a formação dos testículos e outra para a configuração do cérebro. Nesse caso, o bebê teria um cérebro com estrutura e pensamento essencialmente femininos em um corpo geneticamente masculino. Ao chegar à adolescência, é provável que viesse a se revelar homossexual. No capítulo 8, vamos ver como isso acontece.

Quando o feto é uma menina (XX), a presença do hormônio masculino é muito pouca ou nenhuma. Assim, o corpo forma os genitais e o modelo do cérebro continua feminino, recebendo mais tarde a configuração dada pelos hormônios femininos e desenvolvendo os atributos de guardiã da cria, inclusive os centros para decodificação de sinais verbais e não-verbais. A criança, ao nascer, apresenta aparência e comportamento femininos, como resultado da estrutura feminina de seu cérebro. Às vezes, porém, em geral por acidente, o feto de sexo feminino recebe uma dose significativa de hormônio masculino. Resulta daí uma menina com o cérebro até certo ponto masculino. Também vamos ver, no capítulo 8, como isso acontece.

Avalia-se que cerca de 80 a 85 por cento dos homens tenham o cérebro essencialmente masculino e nos restantes haja algum tipo de feminilização cerebral. Muitos destes últimos se tornam gays.

Quinze a vinte por cento dos homens
têm cérebros estruturados de modo feminino.
Cerca de dez por cento das mulheres
têm cérebros masculinizados.

Neste livro, todas as vezes que nos referirmos ao gênero feminino estaremos falando de 90 por cento das meninas e mulheres com cérebros estruturados para comportamentos essencialmente femininos. Em cerca de dez por cento das mulheres, o cérebro recebeu, entre seis e oito semanas depois da concepção, uma dose de hormônio masculino, e foi configurado, em maior ou menor grau, para algumas capacidades tipicamente masculinas.

A seguir, apresentamos um teste simples, mas fascinante, que é capaz de medir o quanto o seu cérebro está configurado para pensamento masculino ou feminino. As perguntas foram retiradas de vários estudos recentes sobre a sexualidade do cérebro humano e o sistema de avaliação foi desenvolvido pela geneticista britânica Anne Moir. Não existem respostas certas ou erradas, mas você vai ter uma visão interessante sobre suas escolhas e seu modo de ser. Ao terminar, avalie sua pontuação de acordo com a tabela. Tire cópias do teste e aplique nas pessoas com quem convive ou trabalha. O resultado vai explicar muita coisa.

O TESTE DA ESTRUTURAÇÃO DO CÉREBRO

A finalidade do teste é apontar a masculinidade ou feminilidade dos padrões do seu cérebro. Não há respostas certas nem erradas. O resultado é simplesmente uma indicação do nível provável de hormônio masculino que seu cérebro recebeu – ou não – por volta de seis a oito semanas a partir da concepção. Isso se reflete em seus valores, estilo, comportamento, orientação e escolhas.

Marque com um círculo a afirmação que lhe pareça mais verdadeira a maior parte das vezes.

1. Quando consulta um mapa ou planta da cidade, você:

a. Tem dificuldade e pede ajuda com freqüência.

b. Vira o mapa para ficar de frente para a direção que vai tomar.

c. Não sente dificuldade alguma.

2. Você está cozinhando, preparando uma receita complicada, com o rádio ligado, e o telefone toca. Você:

a. Deixa o rádio ligado e continua a cozinhar enquanto fala ao telefone.

b. Desliga o rádio e continua a cozinhar enquanto fala ao telefone.

c. Diz que liga de volta assim que acabar de cozinhar.

3. Você se mudou há pouco tempo. Uns amigos vão lhe visitar e perguntam como chegar a sua nova casa. Você:

a. Desenha um mapa com instruções bem claras e manda para eles ou pede a alguém para explicar.

b. Pergunta pelos pontos de referência que eles já conhecem e tenta explicar.

c. Explica oralmente: "Pegue a rua tal até tal lugar, siga em frente, dobre à esquerda, vá até o segundo sinal..."

4. Ao expor uma idéia ou conceito, você geralmente:

a. Usa lápis, papel e linguagem gestual.

b. Explica oralmente, usando gestos e linguagem corporal.

c. Explica oralmente, em linguagem simples e clara.

5. Depois de assistir a um ótimo filme, você prefere:

a. Rever as cenas na memória.

b. Conversar sobre as cenas e os diálogos.

c. Repetir os diálogos principais.

6. No teatro, você prefere sentar:

a. No lado direito da platéia.

b. Em qualquer lugar, tanto faz.

c. No lado esquerdo da platéia.

7. Um amigo tem um aparelho que não funciona. Você:

a. Se solidariza e diz o quanto lamenta.

b. Recomenda um profissional confiável que possa consertar.

c. Descobre como funciona e tenta consertar.

8. Você está em um lugar desconhecido e alguém lhe pergunta onde fica o norte. Você:

a. Confessa que não sabe.

b. Pensa um pouco e conclui onde é.

c. Aponta em direção ao norte sem a menor dificuldade.

9. Você achou uma vaga para o carro, mas é apertada e tem que entrar de ré. Você:

a. Prefere procurar outra vaga.

b. Tenta entrar de ré com cuidado.

c. Estaciona sem a menor dificuldade.

10. Você está assistindo à TV e o telefone toca. Você:

a. Atende com a televisão ligada.

b. Desliga a televisão e atende.

c. Desliga a televisão, pede a todo mundo para ficar calado e, então, atende.

11. Seu cantor favorito acabou de cantar uma música que você ainda não conhecia. Você:

a. Consegue imediatamente cantar alguns trechos sem dificuldade.

b. Se a melodia for simples, consegue cantar alguns trechos.

c. Acha difícil se lembrar da melodia. Lembra-se apenas de uma parte da letra.

12. Para prever o desfecho de uma situação, você:

a. Usa a intuição.

b. Toma uma decisão com base em informações concretas e na intuição.

c. Analisa fatos, dados e estatísticas.

13. Você não consegue achar as chaves. Então:

a. Vai fazer outra coisa e espera lembrar onde deixou.

b. Vai fazer outra coisa, mas continua tentando lembrar.

c. Refaz mentalmente todos os seus passos para ver se se lembra de onde deixou.

14. Você está em um quarto de hotel e ouve uma sirene ao longe. Você:

a. Consegue imediatamente apontar de onde vem o som.

b. Com alguma concentração, é capaz de dizer de onde vem o som.

c. Não consegue identificar de onde vem o som.

15. Em uma reunião social, sete ou oito pessoas lhe são apresentadas. No dia seguinte, você:

a. Consegue com facilidade se lembrar de seus rostos.

b. Consegue se lembrar dos rostos de algumas pessoas.

c. Acha mais fácil se lembrar dos nomes que dos rostos.

16. Você quer passar as férias no campo, mas seu (sua) companheiro (a) prefere a praia. Para mostrar que a sua idéia é a melhor, você:

a. Explica com carinho que adora o campo e que as crianças aproveitam muito mais.

b. Diz que ficaria muito feliz em ir para o campo e promete que da próxima vez vai para a praia.

c. Usa os fatos para decidir que será no campo – é mais perto, mais barato e com mais opções de esporte e lazer.

17. Ao planejar suas atividades diárias, você geralmente:

a. Faz uma lista, para ver quais as prioridades.

b. Pensa nas coisas que precisa fazer.

c. Passa em revista mentalmente as pessoas e lugares a visitar e o que precisa ser feito.

18. Um amigo tem um problema pessoal e vem lhe contar. Você:

a. Se solidariza e compreende.

b. Diz que nada é tão ruim quanto parece e explica por quê.

c. Dá sugestões e conselhos para resolver o problema.

19. Um amigo e uma amiga, ambos casados, estão tendo um caso. Quando é mais provável que você descubra?

a. Assim que o caso começar.

b. Depois de algum tempo.

c. Nunca descobriria.

20. Para você, o que é mais importante na vida?

a. Ter amigos e viver em harmonia com todos.

b. Ser amigo dos outros, mantendo a independência pessoal.

c. Alcançar objetivos, conquistando respeito, prestígio e sucesso na carreira.

21. Se pudesse escolher, você preferiria trabalhar:

a. Num grupo homogêneo.
b. Junto com outros, mas mantendo seu próprio espaço.
c. Por conta própria.

22. Você prefere ler:

a. Romances e ficção.
b. Livros e jornais.
c. Autobiografias e não-ficção.

23. Em um shopping, sua tendência é:

a. Comprar por impulso, principalmente as ofertas.
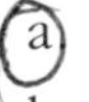
b. Ter um plano que, no entanto, pode mudar.
c. Verificar as etiquetas e comparar os preços.

24. Você prefere dormir, acordar e fazer as refeições:

a. Quando tem vontade.
b. Seguindo uma rotina básica, porém flexível.
c. Mais ou menos na mesma hora todo dia.

25. Em seu novo emprego, você conheceu muita gente. Um dos novos colegas telefona para sua casa. Você:

a. Reconhece a voz imediatamente.
b. Reconhece a voz depois de algum tempo.
c. Tem dificuldade em reconhecer a voz.

26. Durante uma discussão, o que é mais desagradável?

a. Silêncio, falta de respostas.

b. A outra pessoa não entender seu ponto de vista.
c. Perguntas e comentários indiscretos ou agressivos.

27. Na escola, como você se saía nos testes de ortografia e redações?

a. Achava tudo muito fácil.
b. Bem em apenas um dos dois.
c. Mal em todos os dois.

28. Em festas ou aulas de dança, você:

a. "Sente" a música logo nos primeiros acordes.
b. Segue algumas músicas ou exercícios, mas "se perde" dos outros.
c. Tem dificuldade em seguir o ritmo.

29. Na identificação e imitação de vozes de animais, que conceito você se daria?

a. Fraco.
b. Razoável.
c. Muito bom.

30. Ao fim de um longo dia de trabalho, você geralmente prefere:

a. Conversar com amigos ou com a família.
b. Ouvir o que os outros têm a contar sobre o dia.
c. Ler ou assistir à televisão, em silêncio.

COMO AVALIAR O TESTE

Primeiro, some as respostas das letras A, B e C. Depois, consulte a tabela abaixo para chegar ao resultado final.

Homens

Número de respostas A multiplicado por 15 = ________
Número de respostas B multiplicado por 5 = ________
Número de respostas C multiplicado por -5 = ________
Total de pontos: ________

Mulheres

Número de respostas A multiplicado por 10 = ________
Número de respostas B multiplicado por 5 = ________
Número de respostas C multiplicado por -5 = ________
Total de pontos: ________

Para cada pergunta em que nenhuma das respostas tenha sido satisfatória conte 5 pontos.

O TESTE DA ESTRUTURA DO CÉREBRO

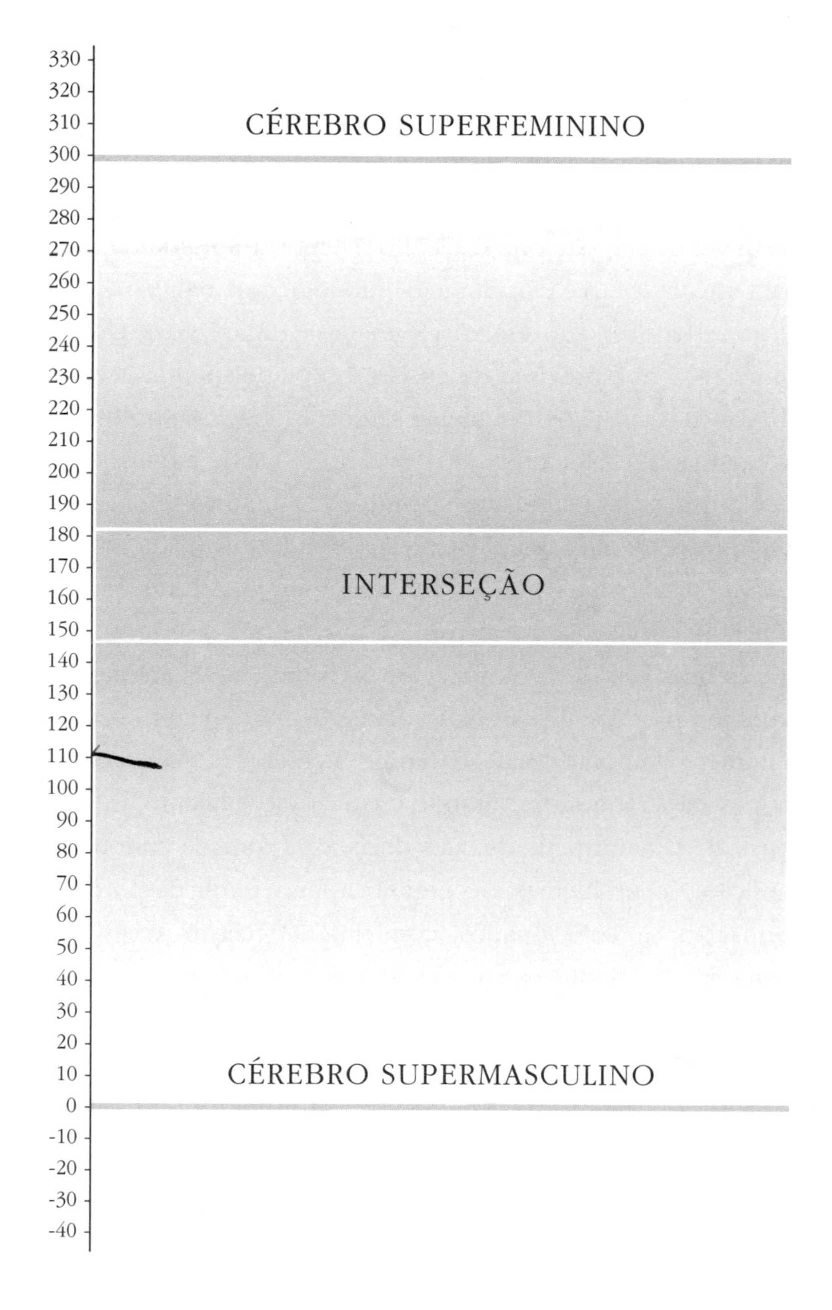

ANALISANDO OS RESULTADOS

A pontuação da maioria dos homens fica entre 0 e 180 e a das mulheres entre 150 e 300. Pessoas com cérebros estruturados para um pensamento predominantemente masculino geralmente marcam até 150 pontos. Quanto mais próxima de zero for a pontuação, mais masculinas serão essas pessoas, provavelmente com um nível de testosterona mais alto. Demonstram grande talento para atividades que exijam raciocínio lógico e analítico e articulação verbal. Tendem a ser disciplinadas e organizadas. Lidam facilmente com a previsão de custos e o planejamento com base em dados estatísticos, raramente se deixando levar pela emoção. A pontuação mais próxima de zero é altamente masculina. Demonstra que quantidades significativas de testosterona estiveram presentes nos estágios iniciais do desenvolvimento fetal. Quanto mais baixa a pontuação da mulher, mais forte a sua tendência para o lesbianismo.

Cérebros estruturados para um pensamento eminentemente feminino produzem pontuação acima de 180. Quanto mais alto o número de pontos, mais feminino o cérebro e mais tendência da pessoa a demonstrar grande criatividade e talento artístico e musical. A maior parte de suas decisões é tomada com base na intuição. Os problemas são identificados a partir de poucas informações e solucionados com inteligência e criatividade. Homens com pontuação acima de 180 têm maiores chances de serem gays.

No homem com pontuação abaixo de zero e na mulher com mais de 300 pontos, os cérebros são estruturados de modos tão diversos, que eles só têm em comum o fato de viverem no mesmo planeta!

A INTERSEÇÃO

Pontuações entre 150 e 180 indicam um pensamento compatível com ambos os sexos, ou um pé em cada campo sexual. Essas pessoas não tendem a um pensamento masculino ou feminino e geralmente demonstram uma flexibilidade que pode ser vantajosa para a solução de problemas. Têm predisposição a fazer amigos tanto entre as mulheres quanto entre os homens.

UMA PALAVRA FINAL...

A partir do início da década de 80, o conhecimento do cérebro vem ultrapassando as expectativas mais otimistas. O então presidente dos Estados Unidos, George Bush, instituiu os anos 90 como a Década do Cérebro, e agora estamos prestes a entrar no Milênio da Mente. Em nossa discussão sobre o cérebro e suas várias regiões, simplificamos a Neurociência, evitando o excesso de termos técnicos. Tivemos, no entanto, o cuidado de não simplificar demais.

Sabemos que você, ao ler este livro, não pretende se tornar neurocientista, mas apenas entender o funcionamento básico do cérebro e aprender algumas estratégias para lidar com o sexo oposto.

Capítulo 4

FALANDO E OUVINDO

Barbara e Allan estavam se vestindo para ir a um coquetel. Barbara tinha comprado um vestido novo. Queria estar "o máximo". Pegou dois pares de sapatos – um azul, outro dourado. E então fez a Allan uma pergunta que assusta qualquer homem:

– Querido, qual dos dois fica melhor com este vestido?

Ele sentiu um frio na espinha. Sabia que estava encrencado.

– Ah... Hum... O que você preferir, querida – resmungou.

– Ora, Allan – ela já estava impaciente –, qual combina mais... o azul ou o dourado?

– O dourado! – ele arriscou, nervoso.

– Mas o que é que tem de errado com o azul? – ela perguntou. – Por que você não gosta dele? Custou uma fortuna e você não gosta, não é?

Allan, de ombros caídos, era a imagem do desânimo.

– Se você não quer a minha opinião, não peça, Barbara!

Ele tentou resolver o problema e ela nem agradeceu! É que Barbara estava tendo uma atitude tipicamente feminina: pensando alto. Na verdade, já tinha decidido qual sapato usar e não precisava de uma segunda opinião. Queria a confirmação de que estava bem. Neste capítulo, vamos falar sobre os problemas de comunicação entre homens e mulheres e oferecer algumas soluções.

A ESTRATÉGIA DO "SAPATO AZUL OU DOURADO"

Se a mulher estiver escolhendo qual sapato usar e perguntar "azul ou dourado?", é importante que o homem não responda. Em vez disso, deve rebater com outra pergunta:

– Qual deles você escolheu, querida?

A maioria das mulheres é apanhada de surpresa por essa atitude, já que os homens costumam dar sua opinião.

– Bem, eu estava pensando em usar o dourado... – ela vai dizer, como que em dúvida. Na verdade, já escolheu.

– E por que o dourado? – ele deve perguntar.

– Porque o cinto é dourado e o vestido tem uns desenhos dourados.

O homem esperto então diz:

– Uau! Muito bom! Você vai ficar linda!

Vai ser uma noite e tanto. Pode apostar.

POR QUE OS HOMENS NÃO FALAM DIREITO?

Há milhares de anos se sabe que os homens não são grandes faladores, principalmente se comparados às mulheres. As meninas não só começam a falar antes dos meninos, como, aos três anos, têm mais ou menos o dobro do vocabulário deles – e falam quase corretamente. Os consultórios dos fonoaudiólogos estão sempre recebendo pais que levam seus filhos para tratamento com a mesma queixa: "Ele não fala direito." Se o menino tiver uma irmã mais velha, a diferença fica ainda mais gritante. Principalmente porque a irmã e a mãe o atropelam. Pergunte a um garotinho de cinco anos:

– Como vai?

E quem responde é a mãe ou a irmã:

– Ele vai bem, obrigado.

Quando alguns homens se juntam para assistir a uma partida de futebol, a conversa se resume a "me passa a batata frita" e "alguém quer mais cerveja?". Mulheres, quando se reúnem em volta da televisão, aproveitam para bater papo.

Entre os jovens também se nota a diferença. Uma vez, quando perguntamos à nossa filha adolescente como tinha sido a festa da noite anterior, ela fez uma descrição clara de tudo – quem estava na festa, quem disse o que para quem e como as pessoas estavam vestidas. Fizemos a mesma pergunta ao nosso rapazinho e ele só resmungou: "Hum... legal."

No Dia dos Namorados, os floristas aconselham os homens a "declarar com flores o seu amor", porque sabem que seria difícil expressá-lo com palavras. Comprar um cartão não é problema para um homem. Problema é escrever alguma coisa nele.

Os homens costumam escolher cartões com mensagens bem longas. Assim, sobra menos espaço para escreverem.

Não vamos esquecer que os homens evoluíram como caçadores e não como comunicadores. Durante a caça, só utilizavam sinais não-verbais e muitas vezes ficavam horas e horas em silêncio à espera da presa. O homem moderno, quando vai pescar com os amigos, também fica muito tempo imóvel, sem falar. Gosta de estar junto deles, mas não vê necessidade de dizer isso. Reunião de mulheres é diferente: se estiverem caladas, é sinal de problema grave. Homens só aceitam mais proximidade quando o compartimento de seu cérebro onde fica a comunicação se abre – depois de muitas doses de bebida.

OS MENINOS E A ESCOLA

No começo, os meninos não se saem tão bem na escola porque sua capacidade verbal é inferior à das meninas. Idiomas e artes não são seu forte. Eles se sentem inferiores às garotas, que são mais comunicativas, e começam a tumultuar as aulas. A idéia de entrarem na escola um ano mais tarde que elas, quando o desenvolvimento da linguagem de todos estiver no mesmo nível, faz bastante sentido. Os meninos ficariam mais confiantes e menos intimidados com a fluência das meninas.

Anos depois, as meninas ficam para trás em Física e Ciências, que exigem melhor habilidade espacial. As turmas de recuperação das classes de alfabetização estão cheias de meninos cujos pais preocupados rezam e torcem para que um dia aprendam a ler, escrever e falar corretamente. Quando chega a vez de Física e Ciências, as meninas não são tão pressionadas e simplesmente se dedicam a outras matérias.

Na Inglaterra, várias escolas têm turmas separadas para meninos e meninas em algumas cadeiras, como Inglês, Matemática e Ciências. Na Schenfield High School, em Essex, por exemplo, houve uma prova de Matemática em que as meninas responderam a questões que tratavam de jardinagem, enquanto os problemas dos meninos estavam ligados a lojas de ferragens. Esse tipo de separação tira proveito das aptidões naturais dos cérebros masculinos e femininos e os resultados são impressionantes. Como as diferenças são respeitadas nessa escola, em Inglês os meninos conseguiram notas quatro vezes mais altas que a média nacional. Em Matemática e Ciências, as meninas alcançaram quase o dobro da pontuação das colegas de outras escolas.

POR QUE AS MULHERES FALAM TANTO?

No cérebro da mulher, a fala tem duas áreas específicas: a principal fica localizada na parte frontal do hemisfério esquerdo e a outra, menor, no hemisfério direito. O fato de terem os centros de fala em ambos os lados do cérebro torna as mulheres boas de conversa. Elas falam muito e gostam. E como a fala é restrita a áreas específicas, o cérebro fica livre para executar outras tarefas, permitindo que façam várias coisas ao mesmo tempo.

Pesquisas recentes demonstram que, quando a mulher grávida fala, sua voz ressoa pelo corpo e chega aos ouvidos do bebê em seu útero. Ele, então, aprende a reconhecer a voz da mãe. Um recém-nascido de apenas quatro dias já é capaz de distinguir padrões de fala de sua língua nativa de outros de uma língua estrangeira. Aos quatro meses, bebês percebem movimentos labiais associados aos sons das vogais. Antes do primeiro aniversário começam a associar palavras a seus significados. Aos 18 meses têm um pequeno vocabulário que, aos dois anos, já se expandiu bastante, chegando, no caso das meninas, a 2.000 palavras. Tanto intelectual quanto fisicamente, é um resultado impressionante, se comparado à capacidade de aprendizagem do adulto.

A região do cérebro específica para a fala é que faz com que as meninas aprendam outros idiomas com mais rapidez e facilidade que os meninos e explica também sua superioridade em gramática, pontuação e ortografia. Em 25 anos de seminário em vários países, poucas vezes tivemos a tradução simultânea de nossas palestras feita por homens – geralmente foram mulheres.

Pesquisa realizada no Reino Unido em 1998 confirmou a predominância feminina em matérias em que é exigida sólida capacidade verbal. O número de professoras de idiomas e artes cênicas é de longe superior ao de professores.

HOMEM FALA SOZINHO E MULHER PENSA ALTO

O homem evoluiu com três responsabilidades: guerrear, proteger e resolver problemas. A orientação de seu cérebro e o condicionamento social o impedem de demonstrar medo ou dúvida.

É por isso que, quando se pede a um homem ajuda para resolver um problema, ele diz "vou pensar" ou "deixa comigo". E é exatamente o que faz: fica pensando em silêncio, sem qualquer expressão no rosto. Só volta a falar ou demonstrar animação quando encontra a resposta. A conversa do homem se passa dentro da cabeça, por causa de sua dificuldade em verbalizar. Se for feita uma tomografia do cérebro de um homem enquanto está calado, quieto, com o olhar perdido, vai dar para ver que conversa consigo mesmo. A mulher, ao vê-lo assim, pensa que está aborrecido ou sem ter o que fazer e tenta ajudar: puxa conversa ou lhe dá uma ocupação. Mas ele fica zangado, não gosta de ser interrompido. Como se sabe, não consegue fazer duas coisas ao mesmo tempo.

Em um de nossos seminários, um participante contou:

– Minha mulher me deixa maluco quando tem um problema para resolver. Ela fala sem parar, misturando opções, possibilidades, compromissos e lugares. Eu fico completamente perturbado, não consigo me concentrar em nada!

O cérebro feminino já vem estruturado para usar a fala como principal forma de expressão, e essa é uma vantagem. O homem, com vários compromissos pela frente, diz: "Tenho muito o que fazer... te vejo mais tarde." A mulher verbaliza, menciona todas as suas tarefas, pensando nas opções, mas sem estabelecer prioridades. Ela diz: "Vamos ver: tenho que pegar a roupa na lavanderia, levar o carro para a oficina... ah, o Ray ligou, disse que quer falar com você... e passar no Correio para apanhar a encomenda. Acho que também vou..." É por essas e outras que os homens reclamam que as mulheres falam demais.

Para a mulher, pensar em voz alta é um modo de agradar e compartilhar, mas o homem não entende assim. Acha que está sendo bombardeado por uma lista de problemas para resolver. Fica nervoso, impaciente e tenta organizar as coisas. Em reuniões de trabalho, a mulher que pensa alto é vista como inconseqüente, alienada ou indisciplinada. No mundo dos negócios, para impressionar a ala masculina, a mulher deve calar seus pensamentos e só falar quando chegar a uma conclusão. Em um relacionamento, os parceiros precisam tomar consciência de suas maneiras diferentes de enfrentar situações. O homem deve entender que, quando a mulher fala sobre um problema, ela não espera que a resposta lhe traga uma solução. E a mulher deve compreender que o silêncio do homem não quer dizer que alguma coisa esteja errada.

MULHERES FALAM, HOMENS QUEREM SOSSEGO

Na cabeça da mulher, um relacionamento com base no diálogo é prioridade. Para ela, que usa por dia em média de 6.000 a 8.000 palavras, mais de 2.000 a 3.000 sons vocais e 8.000 a 10.000 gestos, expressões faciais, movimentos de cabeça e outros sinais de linguagem corporal, é tudo muito fácil. São mais de 20.000 "palavras" para comunicar a mensagem. Por isso, a British Medical Association recentemente informou que as mulheres sofrem quatro vezes mais problemas nas cordas vocais do que os homens.

Disse um comediante:
"Fiquei seis meses sem falar com a minha mulher.
Só para não interrompê-la."

Agora, compare com a contagem dos homens: de 2.000 a 4.000 palavras, de 1.000 a 2.000 sons vocais, de 2.000 a 3.000 sinais de linguagem corporal. Isso dá cerca de 7.000 "palavras" – mais ou menos um terço da marca alcançada pelas mulheres.

Essa diferença na fala fica mais evidente ao fim do dia, quando homem e mulher se sentam lado a lado para jantar. Ele já completou sua cota de 7.000 "palavras" e não tem vontade de dizer mais nada. Só quer ficar quieto, calado. Quanto a ela, tudo depende de como passou o dia. Se conversou bastante, já gastou as 20.000 "palavras", também não sente muita vontade de falar. Mas, se ficou em casa com os filhos, usou no máximo 2.000 a 3.000 "palavras", ainda tem 15.000 em estoque! Dá para prever mais um atrito na mesa do jantar.

Ela: – Oi, querido, que bom que você chegou... Como foi o seu dia?

Ele: – Bom.

Ela: – Brian me disse que você ia fechar um grande negócio com Peter Gosper hoje. Como foi?

Ele: – Tudo bem.

Ela: – Que bom. Ele às vezes é um cliente difícil. Você acha que ele vai seguir os seus conselhos?

Ele: – Acho.

...e assim por diante.

Ele tem a impressão de estar passando por um interrogatório e não fica nada satisfeito. Só queria "paz e sossego". Antes que ela comece uma discussão sobre o seu "mutismo", ele pergunta:

– E o seu dia, como foi?

Ela, então, fala. E fala. Entra em muitos atalhos e conta com minúcia de detalhes, como se quisesse atingir sua média diária de palavras. Ele deseja com todas as suas forças que ela se cale e o deixe em paz. Não agüenta mais. Em todos os cantos do mundo se ouve o lamento de um homem: "Eu só quero um pouco de sossego!" Ele é um caçador. Passou o dia inteiro caçando e precisa descansar em frente ao fogo. Até aí, tudo bem. O problema começa quando a mulher reclama que ele não lhe dá atenção.

Ao lado de um homem calado, com o olhar perdido, sempre há uma mulher se sentindo desprezada.

A finalidade da conversa de uma mulher é a própria fala. Mas o homem entende aquela "falação" como uma busca de soluções e, com seu cérebro analítico, interrompe a toda hora.

Ela: – ...eu escorreguei e quebrei o salto do meu sapato novo e aí...

Ele (interrompendo): – Também, você foi para o shopping de salto alto! Eu vi uma pesquisa sobre isso. É um perigo! Por que não foi de tênis? É mais seguro.

Ele pensa: "Problema resolvido!"

Ela pensa: "Por que ele não escuta calado?"

E continua.

Ela: – ...quando eu voltei para o carro, o pneu de trás estava vazio e...

Ele (interrompendo): – Olha, toda vez que encher o tanque, você deve ver os pneus. Se não, vai acontecer de novo!

Ele pensa: "Resolvi outro problema para ela."

Ela pensa: "Mas por que ele não escuta calado?"

Ele pensa: "Por que ela não pára de falar e me deixa em paz? Será que eu tenho que resolver tudo? Quando é que ela vai aprender a se virar sozinha?"

Ela ignora as interrupções e continua a falar.

Ouvimos milhares de opiniões de mulheres nos mais variados países e todas comprovam:

A mulher que, à noite, fala sem parar só está "gastando" as palavras que sobraram de sua cota diária. Não quer ser interrompida com soluções para seus problemas.

Aí está uma boa notícia para os homens: não precisam responder, basta escutar. Quando acabar de falar, a mulher vai se sentir aliviada e feliz. E ainda vai dizer: "Que homem maravilhoso, como ele sabe ouvir." Sinal de início de uma ótima noite.

POR QUE OS CASAIS SE DESENTENDEM?

Setenta por cento das mulheres que trabalham fora e 98 por cento das que não trabalham apontam a resistência ao diálogo, principalmente no fim do dia, como o pior defeito de seus maridos e namorados. Nas gerações anteriores, elas não sentiam esse problema porque sempre havia, morando na mesma casa, muitas crianças e outras mulheres, o que garantia conversa e apoio. Hoje em dia, a mulher que fica em casa tende a se sentir isolada e sozinha, já que as vizinhas estão todas trabalhando. A mulher que trabalha fora não se aborrece tanto com o "mutismo" masculino porque tem a oportunidade de conversar com os colegas durante o dia. Em todas essas situações não existem culpados. Somos a primeira geração a não ter modelos a seguir para um relacionamento bem-sucedido, já que nossos pais não precisaram enfrentar esse problema. Mas, novamente, uma boa notícia: todo mundo é capaz de adquirir as novas habilidades necessárias à sobrevivência a partir do momento em que tenha consciência da razão das diferenças e se empenhe em lidar com elas.

COMO OS HOMENS FALAM

Quando um homem fala, usa de modo geral frases mais curtas e mais bem estruturadas que as da mulher. Geralmente, há um início simples, uma idéia clara e uma conclusão. É fácil entender o que ele quer dizer. Se você misturar vários assuntos, ele se perde. É importante que a mulher entenda que, para se fazer entender ou convencer um homem, deve apresentar com clareza um pensamento ou uma idéia de cada vez.

Primeira regra para se comunicar com um homem: seja objetiva! Dê-lhe uma coisa de cada vez para pensar.

Se você estiver apresentando uma idéia para um grupo onde haja homens e mulheres, é mais seguro usar uma estrutura de fala masculina. Assim, ambos os sexos vão conseguir acompanhar. Se usar o modo de falar feminino, que muda de curso a todo momento, os homens terão dificuldade em seguir o raciocínio e logo perderão o interesse.

OS DESVIOS DE CURSO DO PENSAMENTO FEMININO

Conversa de mulher deixa o homem completamente confuso. A mulher pode começar um assunto, mudar para outro no meio da frase e em seguida, sem qualquer aviso, voltar ao que estava dizendo antes, mas acrescentando dados absolutamente novos e deixando o homem desnorteado.

Um homem é capaz de ir do ponto A ao B atravessando um verdadeiro labirinto de ruas. Agora, experimente deixá-lo no meio de um bando de mulheres falando um monte de coisas diferentes ao mesmo tempo. Ele fica completamente perdido.

Essa facilidade em seguir raciocínios diferentes e complexos é tipicamente feminina. Veja a carreira de secretariado. Nesse trabalho, cumprir várias tarefas ao mesmo tempo é uma necessidade. Não é de admirar que, em 1998, das 716.148 pessoas que seguiam essa profissão no Reino Unido, 99,1 por cento fossem mulheres – havia apenas 5.913 homens. Alguns grupos atribuem isso ao fato de as meninas serem incentivadas ainda quando estudantes a esse tipo de carreira, mas essa teoria não está levando em conta a supremacia feminina em tudo que envolva fala, organização do pensamento e tarefas múltiplas. Mesmo em áreas onde há uma forte preocupação em adotar uma política de oportunidades iguais para todos, como trabalho comunitário, aconselhamento e serviço social, havia em 1998 na Grã-Bretanha 144.266 funcionários, sendo 43.816 homens e 100.450 mulheres. Onde é preciso facilidade de comunicação e fluência verbal, as mulheres predominam.

ESTRATÉGIAS PARA FALAR COM OS HOMENS

Geralmente um homem só interrompe outro quando os dois estão competindo ou discutindo. Para se comunicar com o sexo masculino, uma estratégia simples é não interromper. Para a mulher é difícil, já que, em seu mundo, o fato de várias pessoas falarem ao mesmo tempo é sinal de contato e participação. Ela sente necessidade de intervir para impressionar e demonstrar interesse. Mas ele fica surdo a essa contribuição, além de não gostar nada de ser interrompido.

"Pare de me interromper!" – em cada canto do mundo, em todas as línguas, há um homem dizendo isso para uma mulher. Sempre que o homem fala, seu pensamento está orientado para uma solução, e ele precisa chegar ao fim do período, senão a conversa parece sem rumo. Ele não consegue seguir vários raciocínios ao mesmo tempo e considera quem faz isso mal-educado ou dispersivo. Este é um conceito totalmente estranho para a mulher, que usa as constantes intervenções como um meio de estabelecer intimidade e demonstrar interesse.

MULHERES USAM AS PALAVRAS COMO RECOMPENSA

A mulher usa as palavras para mostrar que está participando da conversa e conseguir aproximação. Para ela, as palavras são uma forma de recompensa. Se gosta de você, concorda com o que diz ou quer ser sua amiga, ela fala muito. O contrário também acontece: se quer castigá-lo ou demonstrar que você não está agradando, ela se cala. Quando uma mulher ameaçar: "Nunca mais falo com você", é melhor levar a sério.

Se a mulher conversa muito,
é sinal de que gosta de você.
Se ela não lhe dirige a palavra,
você está encrencado.

Um homem precisa, em média, de nove minutos de silêncio para perceber que está sendo castigado pela mulher. Até a marca dos nove minutos, ele aceita o silêncio como um prêmio – afinal, conseguiu um pouco de paz e sossego. Em todos os cantos do mundo há homens reclamando que as mulheres falam demais. E é verdade. Comparadas aos homens, elas falam bastante.

MULHERES SÃO INDIRETAS

O relaxante passeio de carro pelo vale a apenas algumas horas de distância parecia o início de mais um fim de semana agradável. Como a estrada ficava cada vez mais sinuosa, serpenteando pelas encostas, John desligou o rádio. Assim, se concentrava melhor na direção. Não conseguia prestar atenção nas curvas e na música ao mesmo tempo.

– John – disse Allison, a namorada. – Quer tomar um cafezinho?

John sorriu.

– Não, obrigado, não estou com vontade – respondeu, pensando em como ela era atenciosa.

Minutos mais tarde, ele percebeu que Allison tinha ficado em silêncio e suspeitou que podia ter feito alguma coisa errada.

– Está tudo bem, querida?

– Tudo *ótimo!* – ela disparou.

Confuso, John perguntou:

– Então, qual é o problema?

– Você não podia ter parado? – Ela arfava, irritada.

A mente analítica de John tentou sem sucesso identificar o momento em que ela teria pronunciado a palavra "parar". Quando disse isso a Allison, ouviu como resposta que "devia ser mais sensível" – ao sugerir o café, ela estava indicando que queria um.

– E eu sou obrigado a ler os seus pensamentos? – ele perguntou com ironia.

Outra exclamação masculina irritada que se ouve por toda parte é: "Vá direto ao ponto!" A mulher, quando quer insinuar ou fazer rodeios, usa um tipo de *discurso indireto.* Essa é uma especialidade feminina e serve a um propósito específico: a aproximação, evitando agressões, confrontos ou discordâncias. Cai como uma luva para o papel de guardiã da cria e defensora da paz.

No campo profissional, o modo de falar feminino pode ser desastroso, pois os homens não conseguem seguir um raciocínio sinuoso e indireto e acabam virando as costas ao que talvez fossem boas sugestões e propostas. Uma conversa cheia de rodeios pode ser excelente para estabelecer relacionamentos, mas não serve de nada quando se trata do controle de um carro ou avião, em que as informações têm que ser absolutamente claras.

Com um homem, a fala indireta pode ser terrível. O homem percebe o que é dito literalmente. Mas, com prática e paciência, homem e mulher podem aprender a se entender.

HOMENS VÃO DIRETO

Os homens usam frases curtas, diretas, que se encaminham para uma solução, um desfecho. Empregam um vocabulário mais amplo e enriquecem com fatos o que dizem. Os termos são bem definidos, como "nenhum", "nunca" e "absolutamente". Em assuntos profissionais, esse tipo de fala funciona muito bem, levando a uma comunicação eficiente e afirmando autoridade. Aqueles que estendem esse modo de falar a seus relacionamentos pessoais são geralmente considerados rudes e agressivos.

Observe:

1- Me faz uma omelete!

2- Dá para me fazer uma omelete?

3- Faz uma omelete para mim, por favor?

4- O que você acha de comermos uma omelete?

5- Não ia ser legal comer uma omelete?

6- Você quer uma omelete?

Esses pedidos de omelete vão do absolutamente direto ao absolutamente indireto. Os homens provavelmente usariam os três primeiros, e as mulheres, os três últimos. Todos querem dizer a mesma coisa, variando apenas o modo de pedir.

O QUE FAZER

O homem precisa entender que a fala indireta faz parte da estrutura do cérebro feminino e não se aborrecer com isso. Para chegar a um bom relacionamento com uma mulher, ele deve prestar atenção aos sons e à linguagem corporal – adiante vamos falar disso. Não é preciso apresentar soluções nem questionar seus motivos. Se ela parece ter um problema, uma ótima técnica é perguntar: "Você quer que eu escute como homem ou como mulher?" Se ela responder "Como mulher", basta ouvir e apoiar. Se ela responder "Como homem", então é hora de oferecer soluções. Mas isto, evidentemente, pressupõe que ambos estejam conscientes das diferenças.

Se quer que um homem escute,
avise primeiro e organize a pauta.

Para causar impacto em um homem, informe sobre o que quer falar e quando. Por exemplo: "Gostaria de conversar com você sobre um problema que estou tendo com meu chefe. Pode ser logo depois do jantar?" Este apelo à estrutura lógica do cérebro masculino faz com que ele se sinta apreciado e busque a solução. Uma abordagem indireta seria dizer: "Ninguém gosta de mim", levando o homem a pensar que a reclamação é contra ele e cair na defensiva.

COMO LEVAR UM HOMEM À AÇÃO

A mulher, mestra em fazer rodeios, usa e abusa de "pode" e "poderia" nas perguntas: "Você pode levar o lixo para fora?" ou "Poderia me ligar mais tarde?" ou ainda "Você pode pegar as crianças no colégio?". O homem interpreta tudo ao pé da letra e, quando ouve "Você pode trocar a lâmpada queimada?", corre o risco de entender que talvez você venha a precisar de sua ajuda. Para levar um homem à ação, substitua o "pode" ou "poderia" por "vai". "Você vai me ligar esta noite?", por exemplo, envolve um compromisso, e o homem tem que responder "sim" ou "não". É melhor ouvir um verdadeiro "não" como resposta a uma pergunta do tipo "você vai" do que receber um "sim" padrão a todos os "você pode" ou "poderia". O homem, ao pedir a mulher em casamento, pergunta "Quer se casar comigo?" e não "Pode se casar comigo?".

MULHERES SÃO EMOCIONAIS, HOMENS SÃO LITERAIS

O vocabulário não é um ponto forte no cérebro feminino. Por isso, para a mulher, nem sempre a definição exata das palavras é importante. Ela não faz a menor cerimônia em tomar licenças poéticas ou exagerar só para impressionar. O homem, no entanto, admite como verdade cada palavra e responde de acordo.

Para tentar vencer uma discussão, o homem esclarece o significado de tudo o que a mulher diz. Veja se o diálogo seguinte lhe soa familiar:

Ela: – Você *nunca* concorda comigo.

Ele: – O que você quer dizer com *nunca?* Eu não concordei com as suas duas últimas opiniões?

Ela: – Você *sempre* fica contra mim. Você quer estar certo *sempre!*

Ele: – Não é verdade! Eu nem *sempre* discordo de você! Eu concordei com você hoje de manhã, ontem à noite e no sábado passado. Então, você não pode dizer que eu *sempre* discordo!

Ela: – É *toda* vez a mesma conversa!

Ele: – Que mentira! Eu não digo as mesmas coisas *todas* as vezes!

Ela: – E você *só* chega perto de mim quando quer sexo!

Ele: – Pára de exagerar! Eu não me aproximo de você *só*...

A mulher usa como arma a emoção. O homem define as palavras dela. E a disputa continua, até que ela se recuse a falar ou ele dê as costas e vá embora. Mas, para que da discussão nasça a luz, o homem tem de entender que as palavras de uma mulher não significam exatamente o que parecem – não devem ser tomadas ao pé da letra nem definidas. Se ela falar, por exemplo, que "morreria se chegasse a uma festa e encontrasse outra vestida com uma roupa igual", na verdade, não quer dizer exatamente isso. Mas a mente literal masculina vai produzir uma resposta do tipo "você está exagerando, há coisas piores", o que parece à mulher pura ironia. Por outro lado, a mulher tem de aprender que, se quiser que a discussão com um homem seja eficaz, deve argumentar com lógica e abordar um tema de cada vez. Nada de mudar o curso do raciocínio, para não desperdiçar munição.

COMO AS MULHERES OUVEM

Ao ouvir, a mulher usa, em média, seis expressões em um período de dez segundos de conversa para refletir e corresponder às emoções de quem fala. Seu rosto retrata as emoções que percebe no interlocutor. Observe duas mulheres conversando: pode parecer que o que está sendo relatado aconteceu com ambas. Seus rostos são capazes de expressar, em dez segundos, essa seqüência de emoções: tristeza, surpresa, raiva, alegria, medo, desejo.

A mulher percebe o significado do que ouve pela entonação da voz e pela linguagem corporal do interlocutor. Se o homem quer atrair e manter a atenção de uma mulher, deve utilizar sem preconceito esses dois recursos. Quem age assim é bem recompensado.

OS HOMENS OUVEM COMO ESTÁTUAS

O objetivo biológico do guerreiro era ouvir impassível, sem demonstrar emoção. Por isso, apesar de experimentar os mesmos sentimentos, dificilmente alguém conseguirá percebê-los em sua expressão fisionômica.

A máscara de impassividade que os homens apresentam enquanto ouvem serve para fazer com que se sintam donos da situação, não significando que sejam insensíveis. As tomografias revelam que o homem se emociona tanto quanto a mulher. Apenas não se permite demonstrar.

Acha que alguém está a fim de você?
Preste atenção em seu tom de voz.

A VOZ INFANTIL

A maioria das mulheres não precisa de um curso de Biologia Evolutiva para saber do poder de uma voz mais aguda, quase melodiosa. Esse tipo de voz está relacionado a altos níveis de estrogênio e seu jeito infantil desperta o instinto protetor encontrado em quase todos os homens. A mulher prefere o homem de voz grave e profunda, forte indicativo de altos níveis de testosterona, o que significa maior virilidade. É a testosterona que promove a mudança de voz nos rapazes quando chegam à adolescência. Quando uma mulher torna mais agudo o seu tom de voz e o homem torna o seu mais grave, isso é uma forte indicação de interesse recíproco. Não estamos, de modo algum, afirmando que a aproximação deva ser assim, mas explicando como às vezes acontece. É importante notar que as pesquisas concluem com freqüência que, profissionalmente, a mulher de voz grave é considerada mais esperta, decidida e confiável. Pode-se produzir uma voz mais profunda abaixando o queixo, falando devagar e em um tom uniforme. Na tentativa de se imporem, muitas mulheres erradamente elevam a voz, passando uma impressão de agressividade.

Capítulo 5

Habilidade Espacial

A esta altura, você talvez esteja se perguntando: "Mas, afinal, quando é que este livro vai falar do tema que está em seu título?" Se a curiosidade for grande, vá direto para o capítulo 9, depois volte atrás. Mas é interessante acompanhar passo a passo porque, no fundo, é tudo a mesma coisa: diferenças que precisam ser entendidas para serem mais bem administradas no relacionamento homem-mulher, sejam eles marido e mulher, pais e filhos, amigos, colegas de trabalho.

COMO UM MAPA QUASE CAUSOU UM DIVÓRCIO

Ray e Ruth iam ao teatro no centro da cidade, ele dirigindo, ela ao seu lado. Era sempre Ray quem dirigia – nunca questionaram por que, simplesmente era assim. E ele, como a maior parte dos homens, se tornava uma pessoa completamente diferente ao assumir o volante.

Ray pediu a Ruth que procurasse o endereço no guia de ruas. Ela abriu o livro na página certa e, então, virou o guia de cabeça para baixo. Voltou à posição inicial e, em seguida, virou novamente. E ficou em silêncio, olhando. Ruth entendia o mapa, mas na hora de transferir para o concreto tudo ficava estranhamente complicado. Era como estudar Geografia na escola. Aqueles pontinhos verdes e cor-de-rosa se pareciam muito pouco com o mundo em que vivia. Às vezes, quando iam em direção ao norte, ela se saía bem com o mapa, mas o sul era um desastre – e estavam indo para lá. Virou o mapa mais uma vez. Depois de alguns segundos de silêncio, Ray falou:

– Vai ficar virando esse mapa até quando?

– Mas eu tenho que virar na direção em que estamos indo... – explicou Ruth, meio sem jeito.

– E como é que eu vou ler um mapa ao contrário?

– Olha, Ray, para mim faz sentido virar o mapa na direção em que estamos indo. Assim, posso combinar as ruas com o guia! – Ela já falou zangada, elevando a voz.

– Se fosse assim, eles teriam feito o mapa de cabeça para baixo, não acha? Pára de perder tempo e me diz por onde ir!

– Vou dizer já, já – respondeu Ruth, furiosa. E jogou o livro em cima dele. – Veja você mesmo!

Essa discussão certamente não é nenhuma novidade. Há muitos e muitos anos é uma das mais comuns entre homens e mulheres de todas as raças. Lady Godiva, cavalgando nua, errou o caminho. Julieta se perdeu quando voltava para casa depois de um encontro amoroso com Romeu. Cleópatra ameaçou Marco Antônio de castração por tentar forçá-la a entender seus planos de batalha.

PENSAMENTO SEXISTA

Ler mapas e se situar exigem boa orientação espacial. As tomografias mostram que essa capacidade está localizada na parte frontal do hemisfério direito do cérebro de homens e rapazes e é um de seus pontos mais fortes. Desde os tempos mais remotos, a orientação espacial masculina se desenvolveu de modo a que os caçadores pudessem avaliar a velocidade, direção e distância da caça, calcular quanto precisariam correr para alcançá-la e que força empregar para matá-la com uma pedra ou uma lança. Nas mulheres, esta capacidade é encontrada em ambos os hemisférios, mas não tem uma localização específica e mensurável. Por isso, apenas dez por cento delas têm boa ou excelente orientação espacial.

Cerca de 90 por cento das mulheres têm limitada capacidade de orientação espacial.

Para alguns, essa pesquisa pode parecer sexista, já que vamos discutir habilidades e capacidades em que os homens são nitidamente superiores e atividades e ocupações nas quais a própria biologia faz com que eles se destaquem. Nada de preocupações. Mais tarde vamos focalizar as áreas dominadas pelas mulheres.

O CAÇADOR EM AÇÃO

O que vem a ser habilidade espacial? É a capacidade de formar no cérebro imagens que correspondam à realidade em tamanho, posição, volume, movimento e aspecto. Inclui também ser capaz de imaginar um objeto se deslocando no espaço, percorrer caminhos vencendo os obstáculos e ver as coisas em uma perspectiva tridimensional. Tudo isso para estudar o movimento do alvo e acertar nele.

A Dra. Camilla Benbow, professora de Psicologia da Universidade do Estado de Iowa, examinou os cérebros de mais de um milhão de meninos e meninas para avaliar sua capacidade espacial e concluiu que, aos quatro anos, as diferenças já são notáveis: enquanto elas são ótimas na visão em duas dimensões, eles percebem a profundidade – uma terceira dimensão. Em testes de vídeo tridimensionais, os meninos superaram as meninas nesse tipo de habilidade em uma proporção de quatro para um, sendo que as de maior pontuação ainda ficaram atrás dos menos capacitados. No homem, a orientação espacial é uma função específica localizada em pelo menos quatro pontos da parte frontal do hemisfério direito do cérebro.

O fato de não haver no cérebro feminino uma localização específica para a habilidade espacial faz com que a maioria das mulheres geralmente não se saia bem em atividades onde ela seja necessária. Por isso, não procuram tarefas, passatempos ou carreiras que exijam boa orientação espacial.

No cérebro masculino existe uma área específica para a habilidade espacial, fazendo com que a maior parte dos homens e meninos sejam bons em qualquer atividade ligada a ela e busquem, em geral, carreiras e esportes em que precisem utilizar esse talento. No homem, esta é também a área da resolução de problemas.

A capacidade de orientação espacial não é um ponto forte em mulheres e meninas porque caçar e encontrar o caminho de casa não fazia parte das atribuições femininas. É por isso que elas têm tanta dificuldade em ler mapas e guias de ruas.

As mulheres não desenvolveram suas habilidades espaciais porque o máximo que vêm caçando através dos tempos é o bicho homem.

Hoje em dia, o homem não precisa mais caçar o que come. Então, utiliza sua boa orientação espacial no golfe, nos jogos de computador, no futebol, no jogo de dardos e em outras atividades onde haja perseguições e um alvo a ser atingido. Entre os profissionais mais bem pagos em todo o mundo estão os jogadores de golfe, futebol, basquete e tênis.

Quando estiver em um estádio ou ginásio esportivo, observe a facilidade com que os homens que vão comprar refrigerante encontram seus lugares na volta. Ao contrário, quem nunca viu, em qualquer cidade do mundo, um grupo de mulheres turistas virando seus mapas furiosamente em todas as direções, completamente perdidas? Ou vagando pelo estacionamento do shopping, sem conseguir encontrar o carro?

DIANA E SEUS MÓVEIS

Enquanto a transportadora descarregava a mudança na casa nova de Diana, ela percorria os cômodos com uma fita métrica, medindo os espaços onde queria encaixar os móveis. Quando ia medir o lugar onde ficaria um aparador na sala de jantar, Cliff, seu filho de 14 anos, disse:

– Esquece, mãe. Aí não dá. É grande demais.

Diana confirmou a medida e viu que Cliff estava certo. Ela não conseguia entender como ele podia olhar um móvel e calcular se ia ou não caber em um determinado espaço. Como? Usando sua habilidade espacial.

TESTANDO A HABILIDADE ESPACIAL

O cientista norte-americano Dr. D. Wechsler criou uma série de testes de QI testando desde membros de culturas primitivas até o pessoal sofisticado das cidades grandes em todo o mundo e chegou à mesma conclusão que outros pesquisadores de diferentes países: a mulher é cerca de três por cento superior ao homem em inteligência, apesar de ter o cérebro um pouquinho menor. Mas, quando se trata de resolver quebra-cabeças, a supremacia masculina é indiscutível. Entre os que alcançaram pontuação máxima, 92 por cento eram homens – independente da cultura.

O teste espacial que você vai ver a seguir foi desenvolvido na Universidade de Plymouth e é do tipo usado em testes para a seleção de pilotos, navegadores e controladores de tráfego aéreo. Mede a capacidade de, a partir de uma informação bidimensional, imaginar um objeto tridimensional.

No Teste 1, imagine a figura em cartolina. Se fosse dobrada pelas linhas, formaria um cubo com um símbolo em cada face. Se a face com a cruz estiver à direita e a do círculo à esquerda, qual das opções é a correta – A, B, C ou D? Faça o teste agora.

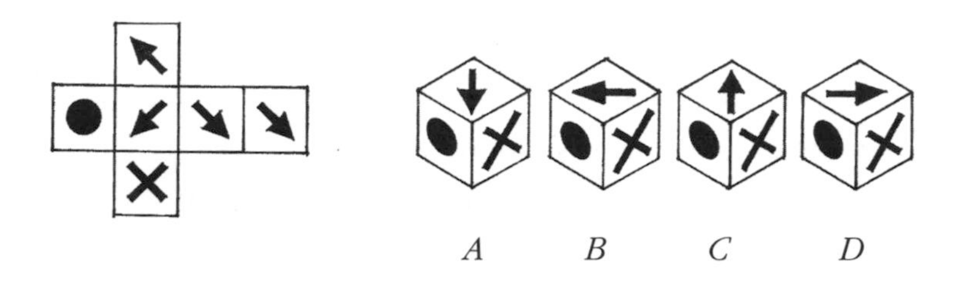

TESTE 1 — *Respostas possíveis para o Teste 1*

Neste teste, seu cérebro tem de formar a imagem em três dimensões e girar para chegar ao ângulo correto. São as mesmas habilidades necessárias à leitura de um mapa ou guia de ruas, aos procedimentos para aterrissagem de um avião e à caça de um búfalo.

A resposta certa é A.

A seguir, uma versão mais completa do teste, que exige do cérebro ainda mais rotações espaciais.

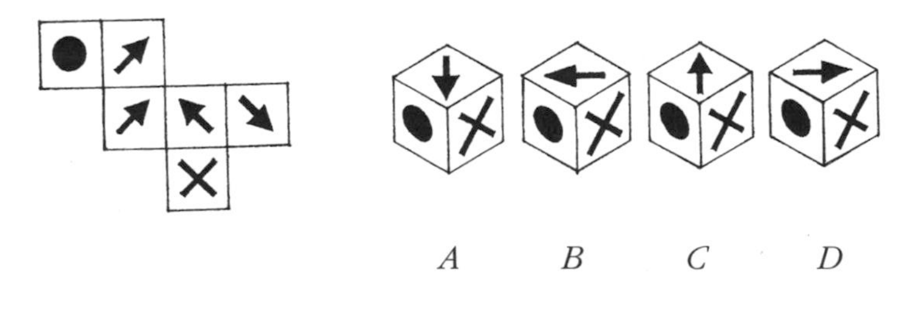

TESTE 2 — *Respostas possíveis para o Teste 2*

Estudos feitos por zoólogos demonstram que, entre os mamíferos, os machos são superiores às fêmeas em habilidades espaciais – os ratos encontram com muito mais facilidade a saída de um labirinto que suas fêmeas e os elefantes são bem mais hábeis que as elefantas na busca de água. (A propósito: a resposta certa para o Teste 2 é C.)

COMO EVITAR DISCUSSÕES NO CARRO

O marido que ensina a mulher a dirigir está a caminho de uma ação de divórcio. As ordens são sempre as mesmas: "Vira à esquerda", "Devagar!", "Passa a marcha", "Olha o pedestre!", "Presta atenção", "Pára de chorar!".

Para o homem, dirigir um carro é testar sua habilidade espacial em relação ao ambiente. Para a mulher, dirigir é apenas ir do ponto A ao ponto B sem contratempos. Se ele é passageiro, a melhor estratégia é ligar o rádio, fechar os olhos e ficar calado. Afinal, sabe-se que, em geral, a mulher se envolve menos em acidentes que o homem. Ela vai chegar lá – talvez demore um pouco, mas vai. Para ele, é só relaxar e aproveitar a certeza da chegada ao destino em segurança.

A mulher não tem senso de direção,
mas o homem nunca encontra as meias na gaveta.

O homem, quando dirige, usa sua habilidade espacial e toma decisões que parecem perigosas à mulher que está a seu lado. Desde que ele não seja um louco do volante, é melhor ela se desligar, parar com as críticas e deixar ele dirigir em paz.

"Se os homens fizessem mapas mais práticos, a gente não precisaria ficar virando-os de cabeça para baixo" – é a reclamação de muitas mulheres. O cartógrafo inglês Alan Collinson prepara mapas para turistas incluindo árvores, montanhas e outros pontos de referência. Assim, as mulheres se orientam muito melhor.

COMO VENDER PARA UMA MULHER

Nunca diga a uma mulher "vire para o norte" ou "siga na direção oeste por cinco quilômetros", porque isso exige sentido de orientação. Prefira as instruções que envolvam pontos de referência, como "passando o McDonald's, siga até aquele prédio que tem em cima o letreiro do Banco Atual". Ela vai se orientar bem, usando sua visão periférica.

Em toda parte, engenheiros e arquitetos deixam de vender seus projetos a mulheres com poder de decisão por apresentarem plantas bidimensionais. O cérebro masculino converte a planta para três dimensões e consegue visualizar a construção depois de pronta. Para a mulher, aquilo são apenas linhas sem sentido. Se quer conquistar uma compradora para uma casa, prepare a maquete ou mostre as imagens em três dimensões na tela do computador. Com esse tipo de informação, ela nunca mais vai se sentir idiota frente a uma planta. Planta é coisa para homem.

Se as mulheres fossem responsáveis pelas leis de trânsito, já teriam proibido entrar de ré nas vagas e estacionar paralelamente ao meio-fio.

ENTÃO, MULHERES, O QUE FAZER?

O que as mulheres podem concluir de tudo isso? Que o importante é, em vez de querer competir no campo em que os homens têm maior capacidade, optar por carreiras e ocupações em que podem exercer as aptidões naturais que estão de acordo com a orientação de sua estrutura cerebral.

As pesquisas mostram que o cérebro feminino se adapta melhor à tarefa de ensinar porque suas habilidades de comunicação e interação são mais desenvolvidas. Nas matérias que não exigem dominância significativa do hemisfério direito ou esquerdo do cérebro, como História, Administração, Pedagogia, as percentagens estão razoavelmente equilibradas entre os dois sexos. Mas naquelas onde a habilidade de raciocínio espacial é necessária, os homens dominam. É o caso da Química, Física e Ciências. Já ocupações como engenheiro nuclear, corredor de automóvel, piloto de avião, controlador de tráfego aéreo exigem uma grande habilidade espacial. Sem ela, nada feito.

Se estudarmos a História, vamos ver que praticamente nenhuma mulher se destacou em áreas que exigem habilidade espacial e raciocínio matemático como xadrez, engenharia espacial ou composição musical. Pode surgir quem afirme que tudo isso é resultado da tirania machista, mas olhe em volta: em nosso mundo que progrediu na oferta de oportunidades são muito raras as mulheres que superam os homens em habilidades que dependam das relações espaciais. Por quê? A principal razão está na estrutura de seu cérebro, que é um fator fortíssimo na determinação de seus interesses.

As mulheres se destacam em áreas onde é preciso mais criatividade do que raciocínio abstrato, como as artes, o ensino, os recursos humanos e a literatura. Enquanto os homens jogam xadrez, as mulheres dançam e cuidam da decoração.

A idéia de que as mulheres não alcançaram sucesso em áreas dominadas pelos homens só seria válida se achássemos que os padrões masculinos devam ser um parâmetro para o sucesso de todos. Mas sabe quem disse que controlar uma empresa, pilotar o jato mais moderno ou programar um computador para o lançamento de uma nave espacial é o máximo da realização? Foram os homens. Mas esse é o padrão de excelência deles, não uma regra geral.

AS MULHERES PODEM MELHORAR SUA HABILIDADE ESPACIAL?

Uma boa dose de testosterona melhora a habilidade espacial, mas não é uma boa opção, porque os efeitos colaterais incluem aumento de agressividade, calvície e barba.

Hoje se sabe que a prática e a repetição ajudam a criar mais conexões cerebrais para uma determinada tarefa. Ratos criados em gaiolas cheias de brinquedos possuem mais massa encefálica do que aqueles que não têm com que brincar. Quem se aposenta e fica "à toa" perde massa encefálica. Nos aposentados que mantêm vivos os seus interesses, a massa encefálica é preservada ou mesmo aumentada. Quanto mais se lêem mapas, mais fácil fica entender as indicações. A menos que tenha o cérebro estruturado para tocar "de ouvido", o pianista tem que se dedicar diariamente ao instrumento, se quiser alcançar um nível de competência pelo menos razoável. Em todas as situações é preciso praticar. Só a prática impede a perda rápida da habilidade.

Se você, mulher, tem um filho ou companheiro, precisa entender que ele, ao lado de uma excelente habilidade espacial, carrega a incapacidade de fazer mais de uma coisa de cada vez. Os homens geralmente precisam de ajuda na organização dos deveres de casa, da agenda e da vida para se tornarem pessoas produtivas.

E se você, homem, trabalha em uma atividade baseada em relações espaciais, como arquitetura e construção, deve se convencer de que a maior parte das mulheres, para entender seu trabalho, precisa de uma perspectiva tridimensional.

Quer convencer uma mulher
a concordar com as plantas de uma
construção que você lhe apresentou?
Mostre uma versão em três dimensões.

EM RESUMO

Ray e Ruth não têm mais problemas quando viajam juntos. Ele decide o caminho a seguir e se orienta. Ela fala e aponta os lugares por onde passam. Ele escuta sem interromper e procura oferecer soluções só quando é solicitado. Ela tenta ser mais objetiva e respeitar a necessidade de silêncio dele. E não faz mais críticas ao seu modo de dirigir porque aprendeu que a manobra que lhe parece arriscada é uma decisão consciente, tomada com base na habilidade espacial. Ray pagou uma fortuna por uma câmera cheia de dispositivos para enfocar a imagem. Quando é a vez de Ruth usar a câmera, ele faz todos os ajustes e mostra como tirar uma boa foto, em vez de ficar rindo de sua falta de jeito.

De um modo geral, quando um homem pára de pedir que a mulher o oriente nas estradas, os dois são muito mais felizes. Quando a mulher pára de criticar o modo de dirigir do homem, há muito menos discussões. Todos nós temos talentos diferentes. Se você não se sai bem em uma atividade, não se preocupe. Com a prática, pode melhorar. E não deixe que isso arruíne sua vida ou a do parceiro – ou parceira.

Capítulo 6

Pensamentos, Atitudes, Emoções e Outros Campos Minados

O casal está deitado na cama e ele, silencioso, concentra o olhar no teto. Ela pensa, aflita: "Ele provavelmente nem sabe que eu existo... Acho que ele não gosta mais de mim... Será que está se envolvendo com outra mulher?"

Ele está pensando, intrigado:
"Como será que as moscas conseguem
ficar pousadas no teto de
cabeça para baixo?"

Colin e Jill iam a uma festa em um bairro que não conheciam. Segundo as instruções, deviam levar cerca de 20 minutos. Mas já tinham se passado 50 e nada – nem sinal do lugar da festa. Colin começou a ficar mal-humorado e Jill perdeu definitivamente a paciência na terceira vez em que passaram pela mesma garagem.

Jill: – Querido, acho que a gente devia ter virado à direita na garagem. Vamos parar e perguntar.

Colin: – Não há problema. Eu sei que é por aqui.

Jill: – Mas nós já estamos meia hora atrasados. Vamos parar e perguntar!

Colin: – Olha, eu sei o que estou fazendo! Você quer pegar o volante ou vai me deixar dirigir?

Jill: – Não, eu não quero dirigir. Mas também não quero ficar rodando a noite toda!

Colin: – Tudo bem. Então, que tal a gente voltar para casa?

Sabe por que Moisés passou
40 anos vagando pelo deserto?
Porque se recusava a pedir informações.

É difícil encontrar quem não reconheça essa conversa. A mulher não entende. Como pode aquele homem maravilhoso, que ela tanto ama, se transformar de repente em um grosseirão só porque está perdido? Se fosse ela, teria perguntado a alguém, qual é o problema? Por que ele não pode admitir que não conhece o caminho?

A mulher não se importa de admitir que errou porque, em seu mundo, isso é visto como forma de aproximação e demonstração de confiança. Mas para o homem isso é admitir uma falha.

NOSSAS DIFERENÇAS DE PERCEPÇÃO

Homens e mulheres vêem o mesmo mundo com olhos diferentes. O homem vê os objetos e os relaciona espacialmente, como quem monta um quebra-cabeça. A mulher percebe um cenário maior, mas nota os detalhes. A prioridade masculina é perseguir resultados, objetivos, status e poder, alcançar a "linha de chegada" e vencer a competição. As preocupações femininas são a comunicação, harmonia, igualdade, o amor e o relacionamento interpessoal. As diferenças são tantas, que parece surpreendente um homem e uma mulher em algum momento pensarem em viver juntos.

MENINOS GOSTAM DE OBJETOS, MENINAS GOSTAM DE GENTE

O cérebro das meninas é estruturado para responder a pessoas e rostos, enquanto o dos meninos responde a objetos e formas. As diferenças entre os sexos foram avaliadas cientificamente e os resultados mostram que cada um percebe o mundo conforme a tendência da estrutura de seu cérebro.

Em um teste foram apresentadas a crianças em idade pré-escolar fotografias onde de um lado havia objetos e do outro rostos. Quando perguntados sobre o que tinham visto, as meninas lembravam das pessoas e suas emoções e os meninos dos objetos e suas formas. Na escola, as garotas se sentam em círculo, conversando, e cada uma reflete a linguagem corporal do grupo, sem que se consiga identificar uma líder.

Meninas buscam relacionamento e cooperação.
Meninos buscam poder e status.

Se uma menina brinca com blocos, geralmente faz uma construção baixa e comprida, imaginando pessoas lá dentro. Os meninos competem entre si para ver quem faz o prédio maior e mais alto. Eles correm, pulam, lutam e fingem ser aviões e tanques de guerra. Elas conversam sobre os garotos de quem gostam ou sobre os que acham bobos. Na pré-escola, uma nova colega é bem recebida pelas outras e todas se conhecem pelo nome. O menino recém-chegado é geralmente tratado com indiferença e só é aceito pelos garotos do grupo se os líderes acharem que pode ser útil. Ao final do dia, a maioria deles nem sabe o nome do novo colega, mas já reparou se ele joga bem ou mal.

As meninas aceitam melhor quem chega e são mais solidárias com coleguinhas deficientes. Os meninos com freqüência desprezam ou implicam com os mais fracos.

HOMEM MODERNO/MULHER MODERNA – O QUE QUEREM?

Em um recente estudo em cinco países ocidentais foi pedido a homens e mulheres que descrevessem o tipo de pessoa que gostariam de ser. De uma lista de adjetivos, os homens empregaram maciçamente corajoso, competitivo, capaz, poderoso, determinado, admirado e habilidoso. Da mesma lista, as mulheres escolheram meiga, gentil, generosa, solidária, atraente, afável e liberal. Para elas, o que vem primeiro na escala de valores é servir e conhecer gente interessante. Para os homens vêm o prestígio, o poder e os bens materiais. O homem valoriza os objetos; a mulher, os relacionamentos. A estrutura do cérebro ditou as preferências.

O CÉREBRO E A EMOÇÃO

A cientista e pesquisadora canadense Sandra Witleson testou homens e mulheres para localizar a emoção no cérebro. Usando imagens tocantes que primeiro eram mostradas ao hemisfério direito através do olho e ouvido esquerdos, e depois ao hemisfério esquerdo através do olho e ouvido direitos, ela concluiu que a emoção não é tão fácil de determinar precisamente no cérebro como a habilidade espacial e a função da fala.

Exames de ressonância magnética mostram que no homem a emoção se posiciona, em geral, no hemisfério direito. Por isso, pode operar independente de outras funções cerebrais.

Em uma discussão, por exemplo, o homem consegue argumentar com lógica, manejando as palavras (hemisfério esquerdo), e mudar em seguida para soluções espaciais (parte frontal do hemisfério direito), sem se deixar levar pela emoção, como se ela ficasse confinada em um pequeno compartimento individual. O corpo caloso do cérebro masculino, menor que o do feminino, dificulta a operação simultânea da emoção com outras funções.

Na mulher, a emoção está presente em uma região bem mais ampla de ambos os hemisférios e consegue operar ao mesmo tempo que outras funções cerebrais. A mulher pode se emocionar durante uma discussão. Com o homem, isso é mais difícil de acontecer, ou ele simplesmente se recusa a continuar e muda de assunto. Assim, não corre o risco de se descontrolar. Como o cérebro feminino pode "ligar" a emoção junto com outras funções, é possível ver uma mulher chorando e trocando um pneu ao mesmo tempo. O homem encara a troca do pneu como um desafio à sua capacidade de resolver problemas e não derrama uma lágrima nem quando descobre, à margem de uma estrada deserta, à meia-noite, debaixo de chuva torrencial, que o estepe está vazio e não tem macaco.

A MULHER VALORIZA O RELACIONAMENTO, O HOMEM VALORIZA O TRABALHO

A sociedade moderna é só um pontinho na tela da evolução humana. Já vimos que centenas de milhares de anos de vivência dos papéis tradicionais deram aos homens e mulheres de hoje uma estrutura cerebral que é a causa de quase todos os nossos desentendimentos e problemas de relacionamento. O homem sempre se definiu de acordo com seu trabalho e suas realizações. Para a mulher, a auto-estima depende sobretudo da qualidade de seus relacionamentos. Todos os estudos feitos nos anos 1990 sobre valores masculinos e femininos continuam a mostrar que 70 a 80 por cento dos homens em todo o mundo ainda dizem que a parte mais importante de suas vidas é o trabalho, enquanto que 70 a 80 por cento das mulheres afirmam que a família é prioridade absoluta. Como conseqüência:

Se a mulher está infeliz no relacionamento,
não consegue se concentrar no trabalho.
Se o homem está insatisfeito no trabalho, não consegue se concentrar no relacionamento.

Quando sob pressão, a mulher vê como uma bênção o tempo que passa conversando com seu companheiro. O homem, na mesma situação, considera a conversa uma interferência em seu processo de resolução de problemas. Ela quer atenção e carinho. A exemplo de seu ancestral, ele quer ficar sentado em uma pedra ou olhando para o fogo. Para ela, o homem é insensível e desinteressado. Para ele, a mulher é intrometida e complicada. Tudo isso reflete as diferenças nas prioridades e na organização do cérebro. A mulher sempre acha que o relacionamento é mais importante para ela do que para ele – e é mesmo. Entender essa diferença é se livrar da pressão e aprender a não se julgarem tão severamente.

DIFERENÇAS QUE SEPARAM

No homem existe a necessidade biológica de ser o provedor, e o reconhecimento da mulher aos seus esforços confirma seu sucesso. Se ela está feliz, ele se sente realizado. Se ela está infeliz, ele acha que a culpa é dele, que não deu o suficiente. É muito comum o homem confessar ao amigo "ela nunca está satisfeita", e isso pode ser motivo para desistir da relação e procurar outra mulher que se contente com o que ele pode dar.

Ela quer amor, romance e diálogo. Ele precisa que a mulher lhe diga que é bem-sucedido e que recebe o suficiente. Se cada um tomar consciência dessas diferenças e das necessidades mútuas, o diálogo fica mais fácil, as frustrações diminuem e os dois se aproximam.

POR QUE OS HOMENS DETESTAM ESTAR ERRADOS?

Para compreender por que o homem detesta estar errado, é importante conhecer a história dessa sua atitude. Imagine a cena. Dentro da caverna, a família agachada junto ao fogo. A mulher e as crianças não comem há dias. O homem sabe que tem que sair para caçar e não pode voltar sem comida. É esse o seu papel, e a família depende dele. Todos têm fome, mas confiam. Ele nunca falhou. O estômago dói e ele tem medo. Será que vai conseguir ou sua família vai morrer de fome? Ele se sente fraco e atemorizado, mas não pode demonstrar medo, não quer que a família perceba. Tem que ser forte. O homem passou um milhão de anos não querendo ser visto como um fracasso. Isso marca.

Quando se perdem no caminho e a mulher diz: "Vamos perguntar", o homem ouve: "Você não foi capaz de achar o caminho." Se ela fala: "A torneira está pingando, vou chamar um bombeiro", ele é capaz de escutar: "Você é um incompetente, não consegue nem consertar uma torneira, vou arranjar outro homem para fazer o serviço." É por isso também que os homens têm tanta dificuldade em pedir desculpas. Para eles, se desculpar é reconhecer o erro e estar errado é fracassar.

Para contornar isso, ao discutir um problema, a mulher tem que ter o cuidado de não dar ao homem a impressão de que ele está errado. É difícil para ele ouvir isso. Até um livro de auto-ajuda como presente de aniversário pode ser interpretado como "Você não é grande coisa".

Os homens detestam críticas. E a mulher fica encantada com um homem que reconhece seus próprios erros.

O homem não deve levar tudo para o lado pessoal e precisa

entender que o objetivo da mulher não é provar que ele está errado – ela quer ajudar o homem que ama. Ele acha que, estando errado, vai perder o seu amor. Na verdade, a mulher gosta ainda mais do homem que reconhece seus próprios erros.

POR QUE OS HOMENS ESCONDEM AS EMOÇÕES?

O homem moderno ainda carrega, como herança genética, a obrigação de ser valente e não demonstrar fraqueza. As mulheres sempre reclamam: "Por que ele tem sempre que bancar o durão? Por que não demonstra o que sente?" ou "Quando ele está preocupado se fecha, se isola!" ou ainda "É mais fácil arrancar um dente dele do que ter uma leve pista sobre seus problemas!".

O homem é por natureza desconfiado, competitivo, fechado, defensivo, um solitário que esconde as emoções para manter o controle. Demonstrar emoção é perder o controle. O condicionamento social reforça esse comportamento quando ensina "seja homem", "faz cara de mau" e "homem não chora".

O cérebro da guardiã da cria está programado para a franqueza, a confiança, a cooperação, as demonstrações de vulnerabilidade, a revelação de emoções e para saber que não é preciso ter a situação sob controle o tempo todo. Se a mulher tenta conseguir que o homem fale de seus sentimentos e problemas, ele resiste, porque vê nisso uma crítica, uma acusação de incompetência. Na verdade, ela tem um só objetivo: ajudar, fazer com que ele se sinta melhor. Para a mulher, dar conselhos é prova de confiança mútua e não sinal de fraqueza de quem os escuta.

É por isso que, quando homem e mulher enfrentam juntos um problema, é tão difícil um entender as reações do outro.

POR QUE OS HOMENS ACIONAM O CONTROLE REMOTO?

Esta é uma das características masculinas que mais infernizam as mulheres: o homem se senta igual a um zumbi na frente da televisão e fica clicando o controle sem se deter em nenhum programa. Ele faz isso porque está precisando pensar e provavelmente nem vê o que se passa na tela. Ou então procura o final de cada programa. A mulher quase não troca de canal – ela se concentra em uma história e se envolve nos sentimentos e emoções dos personagens. É claro que a mulher não tem que se conformar com o monopólio do controle remoto pelo homem, sobretudo se há uma só televisão na casa e ela quer assistir à sua novela favorita. Mas, em vez de reclamar irritada, ela deve expressar serenamente o seu desejo e ajudá-lo a atender sua necessidade. Se não tiver mesmo como evitar a compulsão dele, ela poderá abrir um crediário e comprar uma outra televisão.

COMO FAZER OS MENINOS FALAREM

Toda mãe reclama da falta de diálogo com os meninos. As meninas, quando chegam da escola, abrem o coração, contam tudo, dos grandes aos pequenos acontecimentos.

O sexo masculino é programado para "fazer". Então, essa é a chave que abre a porta da comunicação com os garotos: praticar uma atividade com eles. Se mãe e filho se juntarem para pintar ou jogar no computador, vai ser uma boa oportunidade para se aproximarem e talvez daí resulte uma boa conversa.

A mesma estratégia funciona com os homens. Só não se deve falar com eles em momentos críticos – quando estiverem trocando uma lâmpada, por exemplo!

QUANDO OS DOIS ESTÃO SOB PRESSÃO

A reação ao estresse é uma das mais surpreendentes diferenças entre homens e mulheres. Um casal sob pressão é um campo emocional minado que cada um tenta atravessar a seu modo. Ele se cala, ela se preocupa com isso. Ela fala sem parar, ele se desespera. Para tentar ajudar, ela toma a pior atitude possível: fazer com que ele fale sobre o problema. Ele pede para ficar em paz, sozinho, e se fecha.

Quando o homem sob extrema pressão ou em busca de solução para um problema sério se cala, isso aterroriza a mulher, porque, como ela só age assim se for ferida, enganada ou ofendida, pensa que foi o que aconteceu com ele. Será que ela o ofendeu e ele não gosta mais dela? Se a mulher magoada se cala, o homem supõe que ela queira ficar sozinha e vai para o bar com os amigos ou se instala em frente do computador.

A mulher tem de compreender que nos momentos de crise o homem precisa ficar em paz, pensando. Nada de achar que ele não a ama ou está zangado com ela. Basta deixá-lo sozinho, colocando-se disponível para ouvi-lo, sem pressioná-lo. Vai passar e, mais tarde, ele poderá falar a respeito.

O homem precisa desenvolver a sensibilidade para entender que, por trás do talvez excesso de palavras da mulher, há uma carência e um pedido de ajuda. Reclamar e fechar-se só vai aumentar o estresse. Procure ouvir, entender e colocar carinhosamente seus limites quando sentir que os atingiu.

Se um homem se fecha, deixe-o em paz.
Mas, se é a mulher que se cala,
atenção – o problema é grave e exige
uma conversa séria.

COMPRAS – MULHERES FELIZES, HOMENS EM PÂNICO

Para a mulher, ir a um shopping é uma atividade lúdica. O objetivo principal é "bater perna", espairecer vendo vitrines e experimentando roupas. Fazer compras é quase secundário, por mais prazer que lhe dê.

O homem é caçador: ele tem objetivo determinado e prazo

certo. O shopping para ele é local onde busca algo específico.

O vestuário masculino reflete a organização cerebral do homem – previsível, conservador, de acordo com a finalidade. De modo geral, homem bem-vestido, com guarda-roupa variado, das duas uma: foi uma mulher quem escolheu suas roupas ou é gay. Um em cada oito homens é capaz de combinar padrões e modelos, o que facilita identificar um homem solteiro.

Por tudo isso, um conselho às mulheres: quando forem fazer do shopping seu parque de diversões, convidem uma amiga e poupem o parceiro. É respeitando amorosamente as diferenças que se constrói a felicidade conjugal.

COMO FAZER UM ELOGIO SINCERO A UMA MULHER

A mulher que experimenta um vestido e pede a opinião do homem geralmente ouve um "bom" como resposta. É o mesmo que nada. Para impressionar, o homem deve *dar detalhes*, como faria outra mulher.

Por exemplo, tente dizer: "Que legal! Vire de costas, deixa eu ver. Essa cor fica muito bem em você. E o vestido te emagrece. E os brincos ficaram ótimos! Você está linda!" Ela vai ficar encantada.

Capítulo 7

Nosso Coquetel Químico

Peter convida Paula para jantar e os dois têm uma noite muito agradável. Na verdade, se entendem tão bem, que começam a namorar. Um ano depois, estão voltando do cinema e Paula pergunta o que vão fazer para comemorar o primeiro aniversário. Peter responde:

– Podemos pedir uma pizza e assistir ao tênis na TV.

Paula fica em silêncio. Peter desconfia de algum problema e emenda:

– Se você preferir, podemos pedir comida chinesa.

– *Ótimo!* – Paula responde e se cala outra vez.

Peter fica pensando: "Um ano já! Foi em janeiro que nós começamos a sair... Foi quando comprei este carro... Então, já está na hora da revisão dos 12 meses. O mecânico disse que ia dar um jeito na luzinha do óleo que fica piscando... E a caixa de mudanças não está boa!"

Enquanto isso, Paula pensa: "Se nosso relacionamento fosse mesmo importante, ele não ia querer comer pizza e ver TV no dia do nosso primeiro aniversário. Só falta convidar os amigos. Eu queria jantar à luz de velas, dançar e fazer planos para o futuro. É claro que nosso namoro é muito mais importante para mim do que para ele. Talvez esteja se sentindo pressionado, percebendo que eu quero um compromisso mais sério... Até eu, às vezes, sinto falta de espaço para mim, para os meus amigos.

Acho que preciso pensar mais um pouco no futuro da nossa relação... Vamos continuar nos encontrando ou vamos nos casar? Vamos ter filhos? Ou não? Eu estou pronta para um compromisso mais sério? Eu quero passar a vida toda ao lado dele?"

Peter vê a luz do óleo piscando outra vez, se preocupa e pensa: "Aqueles idiotas da oficina prometeram que consertavam. A garantia está quase acabando!"

Paula nota o ar de preocupação dele e muda o curso do pensamento: "Está preocupado... Não está feliz... Aposto que está me achando gorda e malvestida. Eu sei que devia fazer mais exercício. Ele sempre elogia o corpo da Cora e diz que eu devia freqüentar a mesma academia que ela. Minhas amigas acham que ele tinha mais é que gostar de mim do jeito que eu sou e não ficar tentando me modificar... Talvez elas tenham razão!"

Mas o pensamento de Peter está longe: "Vou trocar de oficina. Eles vão ver!"

Paula, ainda olhando para Peter, continua pensando: "Agora, ele está bravo mesmo! O rosto está tão tenso! Talvez eu esteja entendendo tudo errado... Ele queria uma definição... Será que percebeu que eu não estou certa dos meus sentimentos? É isso! É por isso que ele está calado... Tem medo de ser rejeitado! Dá para ver o sofrimento em seus olhos!"

O pensamento de Peter segue: "Dessa vez, eles vão ter que fazer um serviço decente! Se vierem de novo com aquela conversa de defeito de fabricação e dizendo que a garantia não cobre, eles vão ver! Paguei uma fortuna por este carro e..."

– Peter? – Paula chama.

– O que foi? – Peter responde bruscamente. Não gostou de ter seus pensamentos interrompidos.

– Por favor, não se torture... Talvez eu esteja errada... Me sinto tão mal... Acho que preciso de tempo... A vida não é fácil mesmo...

– É claro – ele resmunga.

– Você deve estar me achando idiota, não é?

– Não – ele responde, sem entender.

– É que... Não sei mais... Estou confusa... Preciso de tempo para pensar – ela diz.

Peter se pergunta: "De que diabos ela está falando? Vou dizer 'tudo bem' e amanhã ela já esqueceu. Deve estar para ficar menstruada."

– Obrigada, Peter, você não sabe o quanto isso significa para mim.

Olhando nos olhos dele, Paula pensa o quanto ele é especial. Vai ter que pensar muito antes de resolver. Ela passa a noite em claro. De manhã, liga para sua amiga Cora e combina um almoço para conversarem.

Por seu lado, Peter chega em casa, abre uma cerveja e liga a televisão, convencido de que Paula está com tensão pré-menstrual.

Paula e Cora se encontram e conversam até o fim da tarde. Dias depois, Peter encontra o namorado de Cora, que diz:

– Então, você e Paula estão com problemas?

Peter não entende nada e até acha graça.

– Do que você está falando? Mas dá uma olhada aqui na luzinha do óleo e diz o que você acha...

COMO OS HORMÔNIOS NOS GOVERNAM

Antigamente se pensava que os hormônios só afetavam o corpo, não o cérebro. Hoje se sabe que os hormônios programam o cérebro antes do nascimento, ditando nossos pensamentos e atitudes.

Na adolescência, o nível de testosterona é de 15 a 20 vezes mais alto nos meninos que nas meninas, sendo que neles o cérebro controla o fluxo de acordo com as necessidades do corpo. Na puberdade, uma onda de testosterona invade o corpo do menino, provocando um estirão de crescimento e ajustando seu corpo em 15 por cento de gordura e 45 por cento de proteína. Durante a adolescência, as modificações do físico se encaminham para atender a função biológica masculina: máquina de caçar comida. Os rapazes se destacam no esporte porque seu corpo, preparado pelos hormônios, aproveita bem a respiração, com excelente distribuição de oxigênio através dos glóbulos vermelhos, facilitando a corrida, o salto e a luta. Os esteróides são hormônios masculinos que aumentam a massa muscular, dando aos atletas habilidades "de caça" extra e uma vantagem desleal sobre os que não fazem uso dessa substância.

Os hormônios femininos têm efeito diferente sobre as meninas. Ao contrário dos masculinos, que são liberados regularmente no corpo dos meninos, os femininos vêm em grandes *ondas* de 28 em 28 dias, complicando a vida de mulheres e mocinhas devido à instabilidade emocional que provocam. Esses hormônios ajustam o corpo das meninas em 26 por cento de gordura e 20 por cento de proteína, para desespero das mulheres em todo o mundo. A finalidade dessa gordura adicional é preservar energia para a amamentação, garantindo a sobrevivência quando o alimento escasseia. Por isso, os hormônios femininos são usados para engordar animais que vão ser consumidos. Os masculinos não serviriam, já que reduzem a gordura e aumentam os músculos.

A QUÍMICA DO AMOR

Você encontrou aquela pessoa especial – coração acelerado, mãos molhadas de suor, borboletas no estômago –, o corpo todo vibra. Jantam juntos, e você está nas nuvens. Para encerrar a noite, um beijo. Você parece derreter por dentro. Nos dias seguintes tem pouca vontade de comer, mas nunca se sentiu tão bem. Até o resfriado sumiu.

Existem evidências de que o fenômeno do "amor" resulta de uma série de reações químicas no cérebro que provocam efeitos físicos e mentais. Calcula-se em 100 bilhões o número de neurônios que formam a rede de comunicação cerebral. Candice Pert, do American National Institute of Health, em uma pesquisa pioneira, descobriu os neuropeptídeos, filamentos de aminoácidos que circulam pelo corpo e se juntam a receptores compatíveis. Já foram identificados 60 tipos diferentes de neuropeptídeos, e são eles que, agregados aos receptores, disparam no corpo as reações emocionais. Em outras palavras: todas as nossas emoções – amor, tristeza, alegria – são bioquímicas. O cientista britânico Francis Crick, que, com sua equipe, conquistou o prêmio Nobel de Medicina por decifrar o código do DNA que determina os genes, assombrou a comunidade médica quando afirmou:

"Você, suas alegrias, tristezas, ambições, decisões, seu senso de identidade, o amor – tudo isso não é mais que a atuação de um enorme conjunto de células nervosas."

A principal substância química que provoca os sintomas da paixão é a feniletilamina, da família das anfetaminas, encontrada no chocolate. É a maior responsável pelo coração disparado, pela mão suada, pelas pupilas dilatadas e pelas "borboletas" no estômago. A adrenalina também é liberada, acelerando ainda mais o coração, deixando a pessoa alerta e com uma sensação de bem-estar. E há ainda as endorfinas, que melhoram o sistema imunológico e curam a gripe. Quando duas pessoas se beijam, seus cérebros fazem uma rápida análise da saliva um do outro e decidem sobre a compatibilidade genética. O cérebro feminino, como dissemos no início do livro, faz ainda um exame químico do sistema imunológico masculino.

Todas essas reações positivas explicam uma coisa:

As pessoas apaixonadas são mais saudáveis e resistentes às doenças. O amor faz bem à saúde.

A QUÍMICA HORMONAL

O estrogênio é o hormônio feminino que dá à mulher uma sensação de contentamento e bem-estar e exerce papel importante em sua função de perpetuadora da espécie e guardiã da cria. Pelo seu efeito calmante, é aplicado em prisioneiros que têm atitudes violentas. É a redução do nível de estrogênio que provoca falhas na memória das mulheres depois da menopausa. As que fazem terapia de reposição hormonal superam esse problema.

A progesterona é o hormônio que desperta o instinto maternal e protetor para estimular a mulher a cumprir com eficiência seu papel de guardiã da cria. Não é apenas a visão de um bebê que faz liberar progesterona no organismo. Pesquisas demonstram que qualquer forma semelhante à do bebê – pernas e braços roliços, tronco rechonchudo – tem o mesmo efeito. A reação a essas formas é tão forte, que o hormônio é liberado quando a mulher vê um objeto com essas características, ainda que seja um brinquedo.

TPM E DESEJO SEXUAL

A tensão pré-menstrual (TPM) é um problema sério para a mulher moderna, mas desconhecido por suas ancestrais. Como a mulher estava quase sempre grávida, seus problemas ligados à menstruação ocorriam em média de 10 a 20 vezes na vida.

Atualmente, são 12 vezes por ano. Durante a idade fértil, de 12 a 50 anos, são de 350 a 400 episódios de TPM se levarmos em conta a média de 2,4 filhos. E para as que não têm filhos o número chega a 500.

Até o surgimento da pílula anticoncepcional ninguém tinha reparado que a mulher passava por altos e baixos emocionais. Nos primeiros 21 dias depois da menstruação o estrogênio provoca uma sensação de bem-estar e satisfação e uma atitude positiva na maioria das mulheres que ainda não chegaram à menopausa. O desejo sexual vai aumentando gradativamente, até chegar a um ponto específico entre o 18º e o 21º dia, período em que o nível de testosterona da mulher é mais alto, havendo mais possibilidade de ocorrer a concepção.

A natureza é sábia: estabelece um programa para a maioria das fêmeas, fazendo com que fiquem mais interessadas em sexo durante o período fértil. Nos animais pode-se observar isso facilmente. A égua no cio, por exemplo, provoca e excita o cavalo, mas só permite a cobertura no exato segundo em que o óvulo está na posição de ser fecundado. As mulheres não percebem, mas passam por fases e reações semelhantes.

Pode acontecer de uma mulher ir para a cama com um homem que acabou de conhecer em uma festa e, no dia seguinte, não encontrar explicação para o que fez. "Não sei o que aconteceu. A gente tinha acabado de se conhecer e, de repente, eu estava na cama com ele. Eu nunca fiz isso!" Como outras fêmeas, ela encontrou um macho no exato momento em que eram maiores as chances de engravidar. Seu cérebro, através do subconsciente, decodificou a constituição genética, o estado do sistema imunológico e outras características daquele homem. Sempre que esses dados alcançam um nível razoável de aceitabilidade, a natureza assume o comando. Mulheres que passam por essa situação não conseguem explicar e falam em "destino" ou "estranha atração magnética". Elas não sabem que foi tudo obra dos hormônios. Como resultado de momentos assim, muitas acabam envolvidas com parceiros completamente inadequados.

A TRISTEZA QUÍMICA DA MULHER

Entre 21 e 28 dias depois da menstruação, os hormônios femininos caem drasticamente, fazendo surgir um conjunto de incômodos conhecidos como tensão pré-menstrual – TPM. Muitas mulheres têm sintomas que vão da sensação de maus pressentimentos, tristeza, depressão, até tendências suicidas. Uma em cada 25 mulheres passa por um desequilíbrio hormonal tão sério, que chega a sofrer mudanças na personalidade.

Vários estudos concluíram que a maior parte dos crimes cometidos por mulheres, como agressões e furtos em lojas, acontecem entre o 21º e o 28º dia do ciclo menstrual. Nesse período aumentam consideravelmente as visitas a terapeutas, psiquiatras e astrólogos, e muitas mulheres têm a impressão de estar "perdendo o controle" ou "enlouquecendo". Estudos bem documentados comprovam que mulheres com TPM correm um risco quatro ou cinco vezes maior de se envolverem, quando ao volante, em acidentes de carro.

Os hormônios femininos há muito são empregados para acalmar pessoas agressivas. Em alguns países, no julgamento de crimes violentos cometidos por mulheres, ao pronunciar a sentença o juiz leva em consideração o fato de a ré estar – ou não – em período pré-menstrual.

Quando as mulheres chegam à menopausa, entre os 40 e 50 e poucos anos, passam por várias mudanças emocionais, psicológicas e hormonais que variam de uma para outra.

TESTOSTERONA – PRÊMIO OU CASTIGO?

Os hormônios masculinos, em especial a testosterona, podem ser chamados hormônios da agressão. A testosterona é largamente responsável pela sobrevivência da espécie humana, por impulsionar o homem a perseguir, abater a presa e afastar os predadores. É também esse hormônio que faz a barba crescer, causa a calvície, engrossa a voz e melhora a habilidade espacial. Já foi demonstrado que os homens de voz grave têm mais do dobro de ejaculações por semana do que os tenores. Pessoas tratadas com testosterona têm menos dificuldade em entender mapas e guias de ruas. Outro dado interessante é que a asma e a preferência pelo uso da mão esquerda têm sido ligadas à testosterona, e hoje em dia se sabe que homens que fumam ou bebem em excesso têm reduzido o nível desse hormônio no sangue.

O lado negativo do efeito da testosterona sobre o homem moderno é que, se não for queimada através de atividade física, pode aumentar a agressividade e provocar conduta anti-social. Com a testosterona invadindo seus corpos, rapazes de 12 a 17 anos ficam mais propensos a cometer crimes. Com uma dose de testosterona, um homem sem iniciativa vai "despertar", ficar mais decidido e autoconfiante. Na mulher, a mesma dosagem aumenta a agressividade, mas não tem o efeito químico observado no homem. É que o cérebro masculino é programado para reagir à testosterona e o feminino não. Ainda não se sabe a razão, mas certamente a habilidade espacial está ligada a isso.

Atenção, mulheres: cuidado com homens canhotos, carecas, de barba cerrada, que lidam com contabilidade, lêem mapas e espirram ao mesmo tempo.

Entre 50 e 60 anos de idade, o nível de testosterona diminui e o homem se torna menos agressivo e mais voltado para a família. Com a mulher acontece o inverso – depois da menopausa, cai o nível de estrogênio, fazendo com que o de testosterona fique relativamente mais alto. Esta pode ser uma das razões pelas quais as mulheres de 45 a 50 anos ficam mais decididas e autoconfiantes. O lado negativo é que, às vezes, nascem pêlos no rosto e elas se tornam mais vulneráveis ao estresse e a acidentes vasculares cerebrais.

O CASO DA LOUÇA VOADORA

Barbara Pease, autora deste livro, não sabia do alto teor de testosterona contido na pílula anticoncepcional que estava tomando. Seu marido, Allan, logo aprendeu a difícil arte de se desviar de pratos e outros objetos voadores durante a fase de TPM de Barbara e redescobriu seu talento para corridas de curta distância. O interessante é que a capacidade – ou incapacidade – de estacionar o carro junto ao meio-fio deixou de provocar discussões entre o casal, porque melhorou muito com a medicação.

Um exame de sangue apontou excesso de testosterona, e ela mudou para outro tipo de pílula. Em um mês cessaram as mudanças de humor, mas Allan tinha a impressão de estar casado com uma bibliotecária que se preparava para ser freira. Nova troca de remédio, desta vez elevando o nível de testosterona até um ponto seguro. Seguro para ela, para o casamento e para a louça do casal.

POR QUE OS HOMENS SÃO AGRESSIVOS?

A testosterona é o hormônio do sucesso, da realização e da competitividade e, em mãos (ou testículos) erradas, torna animais machos e homens potencialmente perigosos. Pais e mães, em sua maioria, reconhecem a mania quase insaciável dos garotos de assistir a filmes violentos e sua capacidade de lembrar e descrever com detalhes cenas de agressividade. As garotas, em geral, não se interessam por esse tipo de filme. Um estudo da Universidade de Sydney mostrou que, quando frente a um conflito, como uma briga no pátio da escola, 74 por cento dos meninos usam a agressão física ou verbal para resolver o problema, enquanto que 78 por cento das meninas tentam se afastar ou negociar. Os homens respondem por 92 por cento dos toques de buzina em sinais de trânsito, 96 por cento dos arrombamentos e 88 por cento dos assassinatos. Praticamente todos os portadores de desvios sexuais são homens, e as poucas mulheres com essa patologia apresentaram altos níveis de hormônio masculino.

Estudos feitos com atletas concluíram que seu nível de testosterona era consideravelmente mais alto ao fim da prova do que antes dela, demonstrando como a competição pode aumentar o nível de agressividade. Equipes esportivas da Nova Zelândia freqüentemente executam *haka*, a dança de guerra dos maoris, antes de começar a partida. Fazem isso com dois objetivos: assustar a equipe contrária e aumentar o nível de testosterona nos atletas. A função das torcidas é a mesma: elevar o nível desse hormônio em jogadores e torcedores. Estudos confirmam que os mais altos índices de violência coletiva ocorrem em partidas em que a torcida é mais acirrada.

POR QUE OS HOMENS TRABALHAM DURO?

O professor James Dabbs, da Universidade do Estado da Geórgia, colheu amostras de saliva de homens com as mais diferentes ocupações: de grandes comerciantes e políticos a desportistas, padres e presidiários. Descobriu que os mais ativos em cada área apresentavam altos níveis de testosterona. Os níveis mais baixos foram encontrados nos padres, indicando menor atividade sexual e menos competitividade. Observou também que mulheres de sucesso em suas profissões, como advogadas e vendedoras, tinham níveis de testosterona mais altos que a média. Concluiu, então, que não apenas a testosterona leva ao sucesso. O sucesso também aumenta a produção de testosterona.

Os melhores cães, gatos, cavalos, bodes e macacos são os que apresentam níveis mais altos de hormônio masculino. Homens com muita testosterona têm historicamente dominado a raça humana, e é razoável supor que mulheres que se destacaram tenham recebido uma dose adicional de hormônio masculino entre seis e oito semanas de vida intra-uterina.

Criaturas com os mais altos níveis de testosterona dominam o reino animal.

Níveis constantes de testosterona não consumida, porém, são um sério perigo. Um exemplo assustador veio recentemente dos Estados Unidos. Cento e dezoito estudantes de Direito tiveram suas vidas acompanhadas e monitoradas durante 30 anos. Entre os mais agressivos houve quatro vezes mais mortes no período. Eis aí uma boa razão para incentivar os jovens a praticarem atividades físicas regularmente.

TESTOSTERONA E HABILIDADE ESPACIAL

Você certamente já se convenceu de que a habilidade espacial, um dos mais fortes atributos masculinos, está ligada à testosterona. No capítulo 3, vimos como esse hormônio é o principal responsável pela configuração do cérebro do feto do sexo masculino (XY) e pela instalação do "programa" que leva às habilidades espaciais necessárias à perseguição e à caça. Logo, quanto mais testosterona o corpo produz, mais forte será a orientação masculina do comportamento do cérebro. Ratos machos que receberam injeções de hormônio masculino conseguiram encontrar mais rapidamente a saída de um labirinto. As fêmeas também melhoraram seu senso de orientação, mas não tanto quanto os machos. O índice de agressividade também subiu em ambos os sexos.

No teste de estruturação do cérebro, homens com muita testosterona marcam entre –50 e +50 pontos, geralmente se saem bem na leitura de mapas e nos video games, têm boa orientação e boa pontaria. A barba é cerrada e preferem os esportes "de caça", como futebol, bilhar e corridas de automóveis, além de estacionarem com perfeição junto ao meio-fio. Fazem uma coisa de cada vez e não se cansam facilmente. Voluntários que receberam uma dose extra de testosterona mostraram resistência muito maior aos exercícios físicos, como caminhadas e corridas de longa distância, e conseguiram se concentrar nas atividades por mais tempo.

Não admira que as lésbicas possuam muitos desses atributos. Susan Resnick, do Institute of Ageing, nos Estados Unidos, relatou: as meninas que receberam, na vida fetal, quantidades anormais de hormônio masculino tinham habilidades espaciais muito superiores às de suas irmãs que não passaram pela mesma situação.

Enquanto a testosterona melhora a habilidade espacial, o estrogênio, hormônio feminino, inibe. As mulheres têm muito menos testosterona que os homens e, por isso, quanto mais feminino o cérebro, menor a habilidade espacial. Mulheres muito femininas não se saem bem estacionando junto ao meio-fio nem procurando ler mapas.

POR QUE OS HOMENS ENGORDAM NA FRENTE E AS MULHERES ENGORDAM ATRÁS?

A natureza distribui o excesso de gordura o mais longe possível dos órgãos vitais do corpo, de modo a não perturbar seu funcionamento. Em geral há pouca ou nenhuma gordura em volta do cérebro, coração e órgãos genitais. As mulheres têm mais um órgão vital – os ovários. Por isso, as que estão em idade fértil tendem a não acumular na barriga excesso de gordura, que se distribui pelas coxas, região glútea e parte interna dos braços. Quando a mulher sofre uma cirurgia para retirada dos ovários, a natureza redistribui a gordura e a barriga aumenta. Os homens, como não têm ovários, ficam barrigudos, além de acumular alguma gordura nas costas. Raramente se vê um homem de pernas gordas.

Capítulo 8

Gays, Lésbicas e Transexuais

O que faz uma mulher ser mulher e um homem ser homem? Ser gay é mesmo uma escolha? Por que as lésbicas preferem mulheres? Como os transexuais conseguem ter um pé em cada lado da cerca? Você é do jeito que é porque teve uma mãe dominadora e um pai frio e ausente?

Neste capítulo vamos ver o que acontece quando o feto recebe hormônio masculino demais ou de menos.

OS HORMÔNIOS EM AÇÃO

Pesquisas demonstram que o padrão básico de formação do corpo e do cérebro do feto da espécie humana é feminino. Disso resultam algumas características femininas sem função encontradas nos homens – mamilos, por exemplo. Eles têm também glândulas mamárias que não entram em funcionamento, mas conservam a capacidade de produzir leite.

Conforme já dissemos, entre seis e oito semanas depois da concepção, o feto do sexo masculino (XY) recebe uma dose maciça de hormônios chamados androgênios que, primeiro, formam os testículos e, num segundo momento, alteram o cérebro de um formato feminino para uma configuração masculina. Quando esse feto não recebe na época certa a quantidade suficiente de hormônio, duas coisas podem acontecer. Primeiro, nascer um menino com o cérebro estruturalmente mais feminino que masculino e que provavelmente vai se descobrir gay na adolescência. Segundo, um bebê geneticamente do sexo masculino, com os genitais correspondentes e o funcionamento do cérebro inteiramente feminino – um transexual. Biologicamente tem um sexo, mas sabe que pertence ao outro. Às vezes, o bebê geneticamente masculino nasce com genitais de ambos os sexos. A geneticista Anne Moir, em seu revolucionário livro *Brainsex,* apresenta muitos casos de bebês geneticamente masculinos que, ao nascer, pareciam meninas e foram criados como tal até que, na puberdade, o pênis e os testículos "apareceram".

Essa particularidade genética foi descoberta na República Dominicana, e um estudo com os pais dessas "garotinhas" mostra que foram criadas como meninas e estimuladas a adotar comportamentos estereotipados, como usar vestido e brincar de boneca. Muitos desses pais ficaram chocados ao descobrir que tinham um filho. Na puberdade, os hormônios do verdadeiro sexo passaram a predominar e suas "filhas", de repente, tinham pênis, aparência e atitudes tipicamente masculinas. A mudança aconteceu apesar do condicionamento e pressões sociais para um comportamento feminino. O fato de a maioria dessas "meninas" cumprir bem o papel masculino pelo resto de suas vidas demonstra que o ambiente e a educação tiveram pouca influência. A biologia foi, claramente, fator-chave na criação do padrão de comportamento.

HOMOSSEXUALIDADE É PARTE DA HISTÓRIA

Na Grécia antiga, o homossexualismo masculino era não só permitido como altamente respeitado. O cristianismo veio condenar o relacionamento entre pessoas do mesmo sexo, fazendo com que o homossexualismo fosse banido.

Na era vitoriana, até a existência da homossexualidade era negada. Se descoberta, era considerada obra do diabo e punida com severidade. Mesmo às portas do século XXI, as gerações mais antigas ainda acreditam que o homossexualismo seja um fenômeno "antinatural". Ele, na verdade, sempre esteve presente desde que o feto do sexo masculino deixou de receber a dose necessária de hormônio. A palavra "lesbianismo" vem da ilha grega de Lesbos e surgiu em 612 a.C. A homossexualidade feminina não é vista com tanto preconceito quanto a masculina, provavelmente porque está mais associada à intimidade do que ao que se considera "perversão".

É UMA QUESTÃO DE GENÉTICA OU DE ESCOLHA?

A geneticista Anne Moir apareceu na televisão britânica em 1991 e revelou os resultados de sua pesquisa, que confirmaram o que os cientistas já sabiam há anos: a homossexualidade é genética, não depende de escolha.

Duas constatações: o homossexualismo é principalmente inato e o ambiente exerce um papel muito menos importante do que se pensava na determinação do nosso comportamento sexual.

Cientistas comprovaram que os esforços dos pais para sufocar as tendências homossexuais de seus filhos não adiantam praticamente nada. E como o principal responsável é o impacto (ou a falta) do hormônio masculino sobre o cérebro, os homossexuais, em sua maioria, são homens.

Para cada lésbica (corpo de mulher e cérebro masculino) existem de oito a dez homens gays. Se houvesse maior divulgação das pesquisas e conclusões, os homossexuais e transexuais teriam uma vida bem mais tranqüila. A maioria das pessoas tolera melhor quem possui características inatas do que quem, em sua opinião, fez uma escolha que lhes parece inaceitável.

Infelizmente, estatísticas demonstram que, entre os adolescentes suicidas, 30 por cento são gays e lésbicas. Um em cada três transexuais comete suicídio. Um estudo da educação desses jovens concluiu que foram criados em famílias ou comunidades altamente preconceituosas, que pregavam o ódio e a rejeição aos homossexuais, ou em religiões que tentavam "salvá-los" com orações ou terapia.

POR QUE O PAI É ACUSADO?

Quando o rapaz se revela gay, geralmente se diz que a culpa é do pai, acusado pela família de humilhar e criticar o filho por causa de seu desinteresse e falta de habilidade em atividades masculinas. Assim, o rapaz, revoltado, se tornaria gay para desafiar a autoridade paterna. Essa teoria não tem nenhuma base científica. A explicação mais provável é que o fato de o jovem estar mais interessado em assuntos femininos torna-se uma fonte constante de aborrecimento para um pai com grandes expectativas machistas em relação ao filho homem. Em outras palavras: é mais provável que as tendências femininas do rapaz é que tenham provocado a atitude crítica ou agressiva do pai.

A "OPÇÃO" PODE SER MUDADA?

Tal como os heterossexuais, gays e lésbicas não escolhem sua orientação sexual. Cientistas e a maioria dos especialistas em sexualidade humana concordam: o homossexualismo é definitivo. Pesquisadores acreditam que a orientação sexual é quase completamente determinada ainda na vida intra-uterina, confirmada por volta dos cinco anos de idade e é incontrolável. Durante séculos foram empregadas as mais variadas técnicas para tentar livrar as "vítimas" de tendências homossexuais, desde a extirpação das mamas até psicoterapia e exorcismo. Nenhuma deu certo. O máximo que se conseguiu foi fazer com que alguns bissexuais só mantivessem relações com o sexo oposto, forçar alguns homossexuais à solidão e levar muitos deles ao suicídio.

Cientistas comprovaram que a homossexualidade não é opção. É uma orientação inalterável.

COMO PRODUZIR UM RATO GAY

Os pesquisadores preferem os ratos por duas razões: têm hormônios, genes e sistema nervoso central semelhantes aos humanos e seu cérebro não se desenvolve dentro do útero, mas depois do nascimento – o que permite observar o que está acontecendo. Uma rato castrado pensa que é fêmea, fica mais sociável e cuida do ninho. Uma fêmea recém-nascida que recebe uma dose de testosterona pensa que é macho, se torna agressiva e tenta cruzar com outras fêmeas.

Essa alteração do comportamento sexual só pode ser conseguida enquanto o cérebro ainda está no estágio embrionário. Testes semelhantes com pássaros e macacos adultos não produziram mudanças tão significativas porque, passada a fase de embrião, o cérebro já está estruturado. Nos seres humanos, a "programação" do cérebro se dá entre seis e oito semanas depois da concepção. De onde se conclui que, quando mais velhos, nem ratos nem seres humanos mudam muito.

Durante uma série de seminários na Rússia conhecemos um professor de neurocirurgia que nos revelou: por algum tempo, foram feitas experiências secretas de alteração no cérebro de seres humanos que apresentaram os mesmos resultados obtidos com ratos – meninos viraram meninas e meninas viraram meninos ao receberem, ainda no útero da mãe, doses de hormônio. Foram criados gays, lésbicas e transexuais. Segundo o professor, houve casos em que não foi aplicada a dose certa ou o desenvolvimento do feto não estava no estágio ideal. Uma das conseqüências foi um menininho com órgãos genitais dos dois sexos. Às vezes, esse acidente genético acontece na natureza (conforme foi relatado na República Dominicana) e explica por que uma menina, de repente, ao chegar à adolescência, se transforma em rapaz.

Essas pesquisas confirmam o que os cientistas sabem mas não ousam discutir: com uma simples injeção de hormônio no momento certo é possível controlar o sexo do cérebro e determinar a sexualidade do feto. Mas isso levantaria uma série de questões morais, éticas e humanas – com toda a razão.

COMO ACONTECEM OS BEBÊS GAYS

Como vimos, se durante o início da gestação de um feto do sexo masculino ocorrer uma baixa de testosterona, as chances de nascer um menino gay aumentam incrivelmente, já que os hormônios femininos é que vão configurar o cérebro.

Estudos feitos na Alemanha nos anos 1970 demonstram que mães que passam por situações de estresse durante o início da gravidez têm possibilidades seis vezes maiores de gerar um filho gay. Principalmente o estresse causado por problemas emocionais e certas doenças faz cair o nível de testosterona, assim como alguns medicamentos que baixam esse nível. Da mesma forma o álcool e a nicotina têm efeitos nocivos, enquanto que uma dieta adequada e uma vida tranqüila só podem trazer benefícios. Todas essas afirmações são feitas com base em pesquisas efetuadas em vários centros de ciência no mundo.

A mulher que planeja uma gravidez deve tirar longas férias em um lugar tranqüilo e evitar contato com pessoas doentes ou negativas.

Se a mulher pretende ficar grávida, é bom pensar primeiro em se dar um tempo e ver se há em volta fontes de estresse. Fundamental é procurar um médico e perguntar se algum remédio que esteja tomando pode alterar os níveis hormonais.

COMO AS LÉSBICAS SE TORNAM LÉSBICAS

Se o feto é geneticamente do sexo feminino (XX) e seu cérebro recebe hormônio masculino, o resultado é um corpo de mulher com estrutura cerebral de homem. Quando adulta, pode até ser chamada de "machona". Muitas dessas meninas se tornam lésbicas. O feto pode receber hormônio masculino por acidente caso a mãe faça uso, durante a gravidez, de certos medicamentos contra diabetes, alguns tipos de anticoncepcionais e outros.

Um estudo sobre mulheres diabéticas que estavam grávidas nos anos 1950 e 1960 apontou um grande aumento na incidência de meninas, suas filhas, que se revelaram lésbicas depois da adolescência. Tinham recebido hormônio masculino em excesso da medicação contra diabetes que as mães tomavam durante o período crítico do desenvolvimento cerebral do feto.

Na mesma época, muitas mulheres foram tratadas com hormônios femininos, como o estrogênio, na crença de que isso ajudaria a gravidez. A proporção de filhos gays aumentou de cinco a dez vezes. É só na adolescência, quando os circuitos cerebrais são "ligados" pela carga maciça de hormônio circulando pelo corpo, que aflora a verdadeira sexualidade.

Também reforçando essas afirmativas, os pesquisadores do Kinsey Institute, nos Estados Unidos, concluíram que mães que receberam hormônio masculino durante a gravidez tiveram filhas voltadas para esportes agressivos, como futebol e boxe. Quando crianças, eram verdadeiras "pestinhas". As mães que receberam hormônio feminino tiveram filhas mais "femininas" e filhos mais gentis, afetuosos e dependentes que seus colegas, além de pouco inclinados a atividades físicas.

O CÉREBRO TRANSEXUAL

O transexual percebe desde muito cedo que está no sexo errado. O hipotálamo – área do cérebro essencial à determinação do comportamento sexual – é nitidamente menor em mulheres que em homens. O pesquisador Dick Swaab e sua equipe do Netherlands Institute for Brain Research foram os primeiros a apontar, em 1995, que o hipotálamo em transexuais masculinos era do tamanho do feminino ou ainda menor. Esse estudo confirma uma teoria anterior, proposta pelo cientista alemão Dr. Gunther Dörner, de que a identidade sexual resulta da interação entre o cérebro em desenvolvimento e os hormônios sexuais. O mesmo cientista afirmou que o hipotálamo de homens homossexuais, quando recebe hormônio feminino, reage da mesma forma que o hipotálamo feminino. Swaab disse ainda: "Nosso estudo é o primeiro a apontar uma estrutura cerebral feminina em transexuais geneticamente masculinos." Em outras palavras: um cérebro de mulher aprisionado em um corpo de homem.

Em psiquiatria diz-se que os transexuais sofrem de Transtorno da Identidade Sexual, e cerca de 20 por cento deles passam por cirurgias para mudança de sexo. Nessa cirurgia, os testículos são retirados e o pênis é cortado ao meio no sentido do comprimento, com remoção do tecido interno. A uretra é realinhada e a pele do pênis, preservada, é dobrada para dentro, forrando uma cavidade feita cirurgicamente e que vai ser a vagina. Em alguns casos, a extremidade do pênis é transformada em um clitóris capaz de provocar o orgasmo. Tragicamente, um em cada cinco transexuais tenta o suicídio, e essa forma de morte é cinco vezes mais freqüente entre eles do que na população em geral.

POR QUE ÀS VEZES É DIFÍCIL SABER QUEM É GAY?

Falando em linguagem simples, existem dois centros principais associados ao homossexualismo: o "centro da atração" e o "centro do comportamento".

O centro da atração fica no hipotálamo e determina qual sexo vai despertar interesse. No homem, esse centro precisa receber hormônio masculino em quantidade suficiente para operar, de modo que se sinta atraído por mulheres. Se a dose for inferior, o centro vai continuar, em certa medida, feminino no modo de operação e o homem vai se sentir atraído por pessoas do mesmo sexo.

Se o centro do comportamento, no cérebro, não receber hormônio suficiente para dar ao homem atitudes, modo de falar e linguagem corporal tipicamente masculinos, essas funções vão ter características femininas.

O fato de os centros da atração e do comportamento poderem receber doses diferentes de hormônio masculino provavelmente explica por que nem todos os efeminados são gays e nem todos os machões são heterossexuais.

POR QUE AINDA É MAIS DIFÍCIL SABER QUEM É LÉSBICA?

Se o cérebro de um feto do sexo feminino receber inadvertidamente uma dose excessiva de hormônio masculino, o centro da atração pode ser afetado. Assim, a mulher vai se sentir atraída por outras mulheres. Se o centro do comportamento também for afetado, ela vai apresentar atitudes, fala e linguagem corporal tipicamente masculinos. Pode até ser chamada de "machona".

Mas se o centro do comportamento não for atingido pelo hormônio masculino, ela vai parecer feminina, apesar de sentir atração por outras mulheres. Experiências com ratas e macacas levaram aos mesmos resultados.

As lésbicas machonas são vistas como um produto da biologia, mas ainda há muita resistência à idéia de que o lesbianismo feminino tenha causas biológicas. É comum se ouvir um homem dizer: "Aposto como consigo que ela mude de idéia." Essas mulheres, no entanto, têm tão pouco controle sobre suas preferências sexuais quanto as machonas e os homossexuais masculinos, quer estes tenham comportamentos femininos ou pareçam machões.

As pesquisas na área do lesbianismo ainda não chegaram a resultados tão definitivos como na do homossexualismo masculino, mas quase todos os cientistas concordam: as lésbicas – femininas ou machonas – sentem atração por outras mulheres.

Capítulo 9

Homens, Mulheres e Sexo

Stella e Norman se conheceram em uma festa na casa de um amigo comum. A atração foi instantânea e logo se transformou em um relacionamento insaciável e ardente. Estavam os dois apaixonados e não cansavam de transar. Especializaram-se em sexo doméstico – na sala, no quarto, na cozinha, no banheiro, na escada, na garagem... Para Norman era tão bom, que ele teve a certeza de que Stella era única. Para ela também era bom, e Stella se convenceu de que aquilo era amor. Iam viver juntos para sempre.

Dois anos depois, a vida sexual deles ainda era insaciável e ardente. Ele era insaciável e ela ficava ardendo... de raiva. Para Stella, duas vezes por semana estava bom, mas Norman queria todo dia. Afinal, tinha deixado a vida de solteiro por aquele relacionamento. Era uma troca justa. Quanto mais ele insistia, menos ela queria. Logo, só estavam fazendo sexo no quarto. Começaram a discutir por bobagens. Os beijos e carinhos foram diminuindo e, de repente, cada um só via os defeitos do outro. Passaram até a ir deitar em horários diferentes. Até que, uma noite, um deles foi sozinho a uma festa na casa de um amigo comum e conheceu alguém. A atração foi imediata e daí para um relacionamento ardente e insaciável foi um pulo. Estavam apaixonados e não conseguiam ficar longe um do outro...

ONDE FICA O SEXO NO CÉREBRO?

O centro do sexo, como já vimos, fica no hipotálamo, que é a parte do cérebro que também controla as emoções, as batidas do coração e a pressão sangüínea. Tem mais ou menos o tamanho de uma cereja e pesa cerca de 4,5 gramas. É maior nos homens que nas mulheres, nos homossexuais e nos transexuais.

É nessa área que os hormônios, principalmente a testosterona, estimulam o desejo por sexo. Se levarmos em conta que o homem tem de 10 a 20 vezes mais testosterona que a mulher e um hipotálamo maior, vamos entender por que é capaz de fazer sexo praticamente a qualquer hora e em qualquer lugar. Acrescente-se a isso o tradicional incentivo para que "aproveite a vida" e a desaprovação da sociedade às mulheres ditas "promíscuas", e vai ficar claro por que o sexo tem sido ponto de atrito entre homem e mulher.

POR QUE OS HOMENS NÃO CONSEGUEM RESISTIR?

É importante repetir mais uma vez que estamos sempre falando do que ocorre com a maioria sem desconhecer as exceções, que são em número variável.

A entusiástica e impulsiva disposição do homem para o sexo tem uma finalidade clara: assegurar a continuidade da espécie humana. Para isso, como a maioria dos mamíferos, ele teve de evoluir com certas características. Primeiro, com o impulso sexual bem direcionado e concentrado. Assim, poderia fazer sexo praticamente em qualquer situação, mesmo sob a ameaça de possíveis inimigos, e sempre que houvesse oportunidade.

O homem precisava ser capaz de ter o máximo possível de orgasmos no mais curto espaço de tempo, antes que fosse atacado por predadores ou inimigos.

Precisava também espalhar ao máximo seu sêmen. O Kinsey Institute, nos Estados Unidos, líder mundial em pesquisa da sexualidade humana, concluiu que, sem as regras sociais, praticamente todos os homens seriam promíscuos, como foram em 80 por cento das sociedades pela maior parte da nossa história. Com o surgimento da monogamia, esse impulso biológico masculino passou a causar constantes problemas e é ainda hoje motivo de desentendimento entre os casais.

POR QUE AS MULHERES SÃO MAIS FIÉIS?

Na mulher, o hipotálamo é muito menor que no homem. Além disso, ela tem pouca quantidade de testosterona. É por isso que as mulheres, em geral, têm menos impulso sexual e são menos agressivas. E por que a natureza não fez da mulher uma ninfomaníaca insaciável para garantir a continuação da espécie? Por causa do longo período necessário para conceber e criar um filho até que fique auto-suficiente. Por uma boa parte dos nove meses de gravidez, a mulher restringe suas atividades físicas, e uma criança leva pelo menos cinco anos para se alimentar e se defender sozinha. Por essa razão, antes de ter um filho com um homem, a mulher analisa cuidadosamente sua capacidade de providenciar comida e abrigo e de afastar os inimigos.

Alguns homens pensam que ser pai
é só fazer o filho.

O cérebro feminino é programado para encontrar um homem que se comprometa a dar assistência até que os filhos estejam criados. Isso se reflete nas qualidades que a mulher busca em um companheiro para um relacionamento estável.

O HOMEM É UM FOGÃO A GÁS, A MULHER É UM FORNO ELÉTRICO

O impulso sexual masculino é como um fogão a gás: liga instantaneamente, chega ao máximo da capacidade em segundos e pode ser desligado assim que a comida fica pronta. O impulso sexual feminino é como o forno elétrico: vai aquecendo devagar até chegar à temperatura máxima e demora para esfriar.

A seguir, uma tabela que mostra o impulso sexual de homens e mulheres durante a vida. Não reflete as variações causadas por fatores externos, como nascimentos, mortes, namoro, aposentadoria e outros. É um gráfico simplificado, apenas para mostrar as diferenças.

IMPULSO SEXUAL MASCULINO E FEMININO

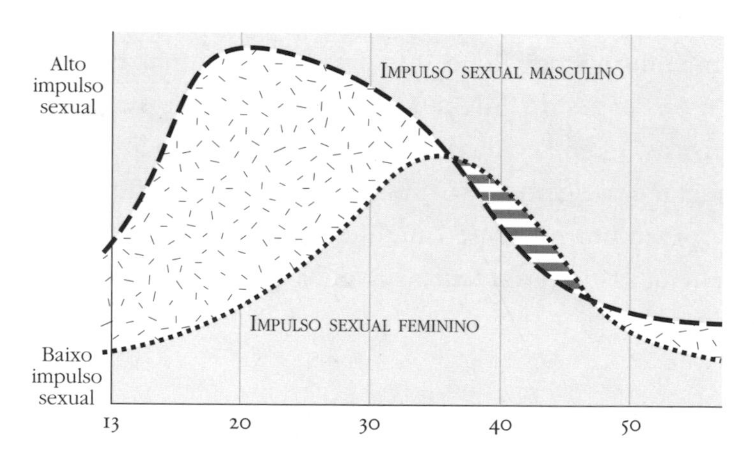

(Fonte: Pease International Research, Reino Unido)

O nível de testosterona – assim como o impulso sexual – vai diminuindo gradativamente à medida que o homem envelhece. Na mulher, em média, o impulso sexual chega ao máximo por volta dos 36-38 anos. Isso explica a "síndrome do garotão": mulher mais velha/homem mais novo. Os homens mais jovens têm um desempenho que as mulheres de mais idade adoram. O nível de desempenho sexual de um rapaz de 19 anos é mais compatível com a mulher de 30 e tantos a 40 e poucos. Na tabela também pode se verificar que o impulso sexual de um homem por volta dos 40 anos é compatível com o da mulher de 20 e poucos. Está explicada a associação homem mais velho/mulher mais nova. Nessas combinações, a diferença de idades costuma ser de 20 anos, mais ou menos.

Quando dizemos que o impulso sexual masculino chega ao máximo aos 19 anos e mais tarde vai diminuindo, estamos nos referindo ao desempenho físico. O interesse por sexo geralmente se mantém alto pela vida toda – pode ser o mesmo aos 30 e aos 70. Só o desempenho pode não ser tão intenso, apesar de aprimorado em outros aspectos. A mulher fica muito interessada em sexo por volta dos 20 anos (quando costuma estar apaixonada), mas o desejo não é tanto. Aos 30, o interesse pode ser o mesmo, mas o desejo é muito maior.

POR QUE O SEXO É MOTIVO DE DISCUSSÃO?

Mais uma vez, não se esqueça de que, quando falamos em impulso sexual masculino e feminino, como em tudo mais, nos referimos à média. Individualmente, a disposição para o sexo varia bastante. Existem mulheres sempre dispostas e homens pouco dispostos, mas são exceções. A regra geral é o contrário.

Um estudo do Kinsey Institute demonstrou que 37 por cento dos homens pensam em sexo a cada 30 minutos. Somente 11 por cento das mulheres apresentam a mesma freqüência. O nível constantemente alto de testosterona é o responsável: o homem está sempre interessado e pronto para o sexo.

Para fazer sexo, a mulher precisa de motivo.
O homem precisa de lugar.

As áreas sombreadas do gráfico apontam as épocas em que homens e mulheres discordam quanto ao sexo. Até pouco antes dos 40 anos, a mulher reclama que o homem quer sexo demais, diz que se sente "usada", e talvez nenhum dos dois fique satisfeito. A partir daí, o impulso sexual feminino aumenta, alcança e chega a superar o masculino. É a natureza tentando aproveitar os últimos anos férteis para dar continuidade à espécie. O homem da mesma idade se surpreende com a troca de papéis e, às vezes, até se queixa de ter de "agir sob pressão": ela fica mais decidida e "fogosa" que ele. É importante informar-se e ler sobre técnicas e estratégias para lidar com as diferenças no apetite por sexo. Muitos casais não conversam sobre isso e cada um espera que o outro adivinhe. Mas não foi o que a natureza planejou.

Além das variações naturais, homem e mulher ainda passam por altos e baixos no desejo sexual conforme o dia da semana e a época do mês ou do ano. Pode estar na moda minimizar as diferenças afirmando que os casais normais sempre combinam em matéria de sexo, mas não é o que acontece na vida real.

Sem negar todos os outros fatores que podem interferir, não hesitamos em afirmar que o apetite sexual é resultado de um coquetel de hormônios comandados pelo cérebro. A testosterona é a principal responsável pelo que chamamos "disposição para o sexo". Quem acredita que o sexo está na cabeça tem alguma razão. Na mulher, fatores psicológicos, como intimidade, confiança e afinidade, se juntam para criar as condições que levam o cérebro a liberar o coquetel de hormônios. No homem, o coquetel está sempre a postos – a qualquer hora, em qualquer lugar.

ESTRESSE E DISPOSIÇÃO PARA O SEXO

Na mulher, a disposição para o sexo depende muito do que acontece em sua vida. Se corre o risco de perder o emprego, está trabalhando em um projeto importante, o aluguel da casa dobrou, as crianças estão doentes, o cachorro fugiu ou caiu um temporal e ela chegou em casa toda molhada, sexo é coisa que nem lhe passa pela cabeça. Só pensa em ir para a cama e dormir.

Se tudo isso acontece com um homem, é provável que ele veja o sexo como um sonífero – um modo de se livrar das tensões acumuladas durante o dia.

É aí que tudo começa. Ele insiste, ela diz que ele é um idiota insensível. Ele diz que ela é frígida e vai dormir no sofá. Já viu essa cena? O interessante é que quando se pergunta a um homem como vai o seu relacionamento ele responde com base no que aconteceu no mesmo dia: se a mulher preparou o café da manhã, passou sua camisa ou fez massagem nos seus ombros. A mulher avalia o relacionamento de acordo com fatos a médio prazo: se ele tem sido atencioso nos últimos meses, se tem ajudado nas tarefas da casa, se eles têm conversado... O homem não percebe a diferença. Não consegue entender por que ela não quer fazer sexo com ele, que foi tão gentil e carinhoso o dia todo. Só porque ele chegou tarde em casa dois dias antes?

COM QUE FREQÜÊNCIA ESTAMOS FAZENDO SEXO?

Na Austrália, nos anos de 1997 e 1998, foi feita uma pesquisa para descobrir com que freqüência os casais fazem sexo. As pessoas foram escolhidas ao acaso e não precisavam se identificar. Portanto, é provável que as respostas sejam verdadeiras.

Idade	*Freqüência de sexo*
20 a 29	144 vezes por ano
30 a 39	112 vezes por ano
40 a 49	78 vezes por ano
50 a 59	63 vezes por ano
60 a 69	61 vezes por ano

Não se esqueça de que essa é a média na Austrália. Existe gente com 65 anos de idade que faz sexo seis vezes por semana e gente com 20 anos que nunca fez, mas são exceções. Surpreendentemente, 81 por cento dos casais disseram estar satisfeitos com sua vida sexual, mas este assunto é muito propício a mistificações. Sendo verdade, deve ter havido muita negociação para acomodar as diferenças. Nos países ocidentais, a percentagem de casais que dizem ter uma vida sexual satisfatória gira em torno de 60 por cento. Resta a saber o que entendem por "satisfatório".

SEXO NO CÉREBRO

Segundo a revista *American Demographics,* em 1997 um grupo de pesquisadores estudou mais de 10.000 homens adultos e descobriu uma ligação entre impulso sexual e inteligência. De acordo com os resultados, quanto mais culto o indivíduo, menos sexo ele faz – ou tem vontade de fazer. Intelectuais com pós-graduação faziam sexo 52 vezes por ano, enquanto os que tinham apenas graduação universitária chegavam a 61 e os que tinham abandonado os estudos antes da formatura 59 vezes. Os que tinham empregos de 8 horas por dia – 40 horas por semana – faziam sexo 48 vezes por ano, contra 82 dos que trabalhavam mais de 60 horas por semana. Neste caso, provavelmente era a testosterona que determinava a diferença, dando mais disposição para o trabalho e para o sexo. Os que gostavam de jazz eram 34 por cento mais ativos sexualmente do que os que gostavam de música pop. Os amantes da música erudita eram os que menos faziam sexo.

*A mulher está mais tranqüila
com um homem que goste de música
clássica e trabalhe meio expediente.
Cuidado com homens que trabalham
demais, tocam piano e gostam de jazz.*

No organismo masculino, a testosterona vem em ondas, de cinco a sete vezes por dia.

De manhã cedo, o nível é mais alto – o dobro de qualquer outra hora –, exatamente antes de sair para caçar. Em média, o nível de testosterona é 30 por cento mais baixo quando anoitece e ele fica olhando o fogo. Uma vez, depois que demos uma palestra, um homem nos contou: "Minha mulher me acordou às seis da manhã cutucando as minhas costas com a ponta de um cabo de vassoura. Quando eu perguntei o que era aquilo, ela disse 'E não é assim que você sempre me acorda?'"

SEXO FAZ BEM À SAÚDE

Está mais do que evidente que sexo é bom para a saúde. Quem tem três relações sexuais por semana queima, em um ano, a mesma quantidade de calorias que consome em 130 quilômetros de corrida. Sexo aumenta o nível de testosterona, que fortifica ossos e músculos e produz o colesterol benéfico. O pesquisador Dr. Beverley Whipple afirma: "As endorfinas, analgésico natural produzido pelo corpo, são liberadas durante a atividade sexual e aliviam dores de cabeça, torcicolo e artrite." Pouco antes do orgasmo é liberado o hormônio desidroepiandrosterona, que melhora a inteligência e o sistema imunológico, fortifica os ossos e inibe o crescimento de tumores. Na mulher, além do estrogênio, é liberada em altas doses durante o ato sexual a ocitocina, hormônio que desperta o desejo de ser tocada. O Dr. Harold Bloomfield demonstrou que o estrogênio está associado à qualidade dos ossos e ao bom funcionamento do sistema cardiovascular. Todos esses hormônios protegem o coração e aumentam a expectativa de vida. Portanto, mais sexo quer dizer menos estresse e vida mais longa. A lista de benefícios de uma boa vida sexual vai longe!

MONOGAMIA E POLIGAMIA

Poligamia é quando um homem ou uma mulher tem dois ou mais parceiros ao mesmo tempo. Você já deve ter concluído que a espécie humana não é monogâmica por natureza. Com certeza, antes da difusão da ideologia judaico-cristã, mais de 80 por cento das sociedades eram poligâmicas, principalmente para garantir a sobrevivência.

Na monogamia, o macho acompanha sempre a mesma fêmea, o que é natural em muitas espécies, como raposas, gansos e águias. Nesse caso, o casal tem tamanho e aspecto físico semelhantes e a responsabilidade pela cria é compartilhada meio a meio. Nas espécies em que há poligamia, o macho é geralmente maior, mais colorido e agressivo e pouco se envolve com a cria. Entre os animais polígamos, o macho amadurece sexualmente muito depois da fêmea, evitando competição entre os mais velhos e os mais novos – e inexperientes –, que certamente venceriam. O macho da espécie humana tem as características físicas das espécies poligâmicas. Não há dúvida: o homem tem que travar uma batalha constante consigo mesmo para ficar com uma só mulher.

POR QUE OS HOMENS SÃO PROMÍSCUOS?

Onde é que o casamento se encaixa no estilo de vida de uma espécie animal em que o macho é biologicamente promíscuo?

A promiscuidade está instalada no cérebro masculino, é uma herança da evolução. Através da história, os homens morreram em guerras e mais guerras. Assim, fazia sentido tentar de qualquer jeito aumentar a população. Sempre voltavam menos guerreiros do que tinham partido. Mas os sobreviventes tinham à sua disposição cada vez mais viúvas, criando um harém que servia muito bem à estratégia de preservação da espécie.

O nascimento de meninos era saudado como uma bênção. Quanto mais homens, melhor para a defesa da comunidade. O nascimento de meninas era uma decepção. A tribo já tinha mulheres demais. E assim foi por centenas de milhares de anos. Como se não bastasse, o homem moderno ainda conta com um grande hipotálamo e altos níveis de testosterona para cumprir seu tradicional papel de reprodutor. Na realidade, o homem, como a maioria dos primatas e muitos mamíferos, não é biologicamente inclinado à monogamia.

A indústria do sexo é uma prova dessa situação. Quase todas as imagens pornográficas na Internet, a prostituição e os vídeos eróticos são dirigidos ao público masculino, levando a uma conclusão: a maior parte dos homens consegue viver uma relação monogâmica, mas sua estrutura cerebral exige uma estimulação mental poligâmica. Mas é preciso ficar claro que, ao mencionar a inclinação do homem para a poligamia, estamos falando de *tendências* biológicas. Não estamos incentivando a promiscuidade nem fornecendo uma desculpa para a infidelidade. O mundo de hoje é completamente diferente daquele do passado e a biologia não raro contraria nossas necessidades e expectativas.

O fato de uma coisa ser instintiva ou natural não quer dizer que seja boa. Os circuitos cerebrais da mariposa fazem com que se sinta atraída pela luz. Assim, pode voar à noite se orientando pela lua e pelas estrelas. Infelizmente, esse bichinho vive agora em um mundo completamente diferente daquele em que evoluiu. Hoje existem aparelhos que atraem e queimam mariposas e mosquitos. Seguindo seu instinto, a mariposa voa em direção à luz e é incinerada imediatamente. Conhecendo suas necessidades biológicas, o homem moderno pode decidir e evitar ser incinerado por fazer o que lhe parece natural.

Existe uma pequena parcela de mulheres tão promíscuas quanto os homens, mas com uma motivação em geral diferente. A maior parte das mulheres quer um relacionamento ou, pelo menos, a possibilidade de envolvimento emocional antes do sexo. Sem um freio, os homens, em sua maioria, mergulhariam em um poço sem fundo de transas uma atrás da outra, para garantir a sobrevivência da espécie.

Uma pesquisa do American Health Institute com jovens de 16 a 19 anos chegou ao seguinte resultado: 82 por cento dos rapazes gostavam da idéia de participar de uma orgia com pessoas estranhas, mas, entre as mocinhas, somente dois por cento tinham a mesma opinião – as outras achavam a idéia assustadora.

A mulher quer muito sexo com o homem que ama. O homem quer muito sexo.

O "EFEITO GALO"

O galo é uma ave incansável. Pode acasalar mais de 60 vezes em um só dia. Mas, com a mesma galinha, só cinco vezes. Na sexta, ele se desinteressa. E se chega uma nova galinha? Ele recomeça, com o mesmo entusiasmo. É o chamado "efeito galo".

O touro perde o interesse depois de copular sete vezes com a mesma vaca. Só recupera a disposição se lhe trouxerem outra.

E mais outra... E com a décima o desempenho é tão bom quanto com a primeira.

O carneiro não cruza com a mesma ovelha mais de cinco vezes, mas, se forem chegando outras, ele continua com a mesma vontade. E não adianta tentar disfarçar uma antiga parceira com perfume nem esconder a cabeça com um saco. Ele não se deixa enganar.

Esse é o modo que a natureza tem de assegurar que o sêmen seja espalhado ao máximo, conseguindo um número maior de fecundações e garantindo a preservação da espécie.

Para o homem jovem e saudável, o número também fica em torno de cinco. Em um bom dia, é capaz de fazer sexo com a mesma mulher cinco vezes. A sexta é difícil. Mas apresente a ele uma outra mulher e, como os galos e os touros, seu nível de interesse (assim como certa parte de sua anatomia) sobe imediatamente.

O apetite sexual masculino é tão intenso, que o Dr. Patrick Carnes, do Sexual Recovery Institute, de Los Angeles, avalia em cerca de oito por cento o número de homens dependentes de sexo, enquanto o de mulheres não chega a três por cento.

POR QUE O HOMEM GOSTA QUE A MULHER SE VISTA COMO PROSTITUTA (MAS NÃO EM PÚBLICO)?

O cérebro masculino precisa de variedade. Como a maioria dos mamíferos, o homem é programado para acasalar com o máximo possível de fêmeas. É por isso que, mesmo em um relacionamento monogâmico, o homem adora novidades, como roupa íntima sexy. Ao contrário de outros mamíferos, ele engana a si mesmo e finge que tem um harém ao ver sua mulher vestida com diferentes roupas sensuais. A maioria das mulheres conhece o efeito que calcinhas e sutiãs provocantes exerce sobre o homem. Só não sabe o motivo.

Na época do Natal, as seções de roupas íntimas das lojas de departamentos ficam cheias de homens que, muito sem jeito, andam entre as prateleiras, procurando um presente sexy para suas parceiras. Em janeiro, as mulheres formam filas nos balcões de troca. "Isso não é para mim. Ele quer que eu pareça uma prostituta!" Mas a prostituta é uma profissional especializada na venda de sexo. Fez uma pesquisa de mercado e atende ao gosto do freguês. Um estudo feito nos Estados Unidos apontou que as mulheres que usam uma variedade de roupas íntimas sensuais têm companheiros muito mais fiéis do que aquelas que preferem as bem-comportadas. Essa é uma das formas de adaptar ao relacionamento monogâmico a necessidade masculina de variar.

POR QUE OS HOMENS RESOLVEM TUDO EM TRÊS MINUTOS?

Um homem saudável consegue, em média, ir do repouso ao orgasmo em dois minutos e meio. Para uma mulher saudável, a média é de 13 minutos.

Dependendo da idade, do estado de saúde e da disposição, muitos homens podem fazer sexo várias vezes por dia, mantendo a ereção por variados períodos de tempo. Nada comparável ao desempenho do babuíno africano, que precisa apenas de 10 a 20 segundos e de quatro a oito movimentos pélvicos para consumar o ato sexual. O que não é nada diante do rato-do-mato, que já se observou ser capaz de 400 relações em um período de dez horas. Mas a medalha de ouro do reino animal vai para o camundongo de Shaw, que atingiu o recorde de 100 relações por hora.

"Você é um amante medíocre!" – disse ela.
"Como você pôde formar uma opinião
em dois minutos?" – respondeu ele.

A CORRIDA DO SACO

"Tem que ser muito macho para fazer isso!" Esta é uma expressão comum que demonstra a relação entre masculinidade – os testículos – e coragem. Em todo o reino animal, o tamanho dos testículos em relação à massa corporal é fator determinante do nível de testosterona. Mas nem sempre o tamanho dos testículos é proporcional ao tamanho do corpo. O gorila, por exemplo, pesa quatro vezes mais que o chimpanzé, mas este tem testículos quatro vezes mais pesados que os do primeiro. Os testículos do pardal, em relação à sua massa corporal, são oito vezes maiores que os da águia, fazendo dele o passarinho mais namorador. Mas vamos ao ponto principal: o tamanho dos testículos determina a (in)fidelidade do macho. O chimpanzé bonobo africano tem os maiores testículos entre os primatas e faz sexo sem parar com qualquer fêmea que apareça. Ao contrário, o poderoso gorila, com seus testículos relativamente pequenos, se contenta em fazer uma vez por ano, embora tenha um harém à sua disposição. No macho da espécie humana, a relação testículo/massa corporal é, em média, correspondente à dos primatas. O que isso significa? Que o homem produz testosterona suficiente para se sentir inclinado à promiscuidade, mas não tanta que o impeça de se submeter às regras sociais, religiosas ou femininas e aderir à monogamia.

A previsão é que, nas gerações futuras, os homens sejam menos potentes que os de hoje. O tamanho dos testículos e a produção de esperma vêm diminuindo sensivelmente de geração em geração. Há evidências de que nossos ancestrais do sexo masculino tinham testículos bem mais avantajados que os do homem moderno. Este, comparado a outros primatas como o gorila e o chimpanzé, produz muito menos esperma por grama de tecido, cerca da metade do que se encontrava nos homens da década de 1940.

TESTÍCULOS TAMBÉM RACIOCINAM

O Dr. Robin Baker, da Faculdade de Ciências Biológicas da Britain's University, em Manchester, comandou uma importante pesquisa que comprovou a capacidade de o cérebro masculino perceber inconscientemente, pelo comportamento da mulher, quando é que ela está no período da ovulação. Seu corpo calcula e libera a quantidade ideal de esperma para, no momento exato, criar as melhores condições possíveis para a fecundação. Se, por exemplo, um casal fizer sexo todo dia, quando chegar a época da ovulação o corpo do homem vai liberar 100 milhões de espermatozóides por vez. Se não tiverem feito sexo por três dias, vão ser 300 milhões. E se tiverem passado cinco dias sem sexo, 500 milhões – mesmo que, nesse período, ele tenha tido relações diárias com outras mulheres.

O OLHAR MASCULINO

O homem se sente estimulado pelo que vê. A mulher, pelo que ouve. O cérebro masculino, de acordo com sua estrutura, sente atração pelas formas femininas, e é por isso que imagens eróticas exercem tanto impacto sobre ele. A mulher, com receptores de informações sensoriais mais apurados, gosta de palavras doces. A sensibilidade feminina ao que escuta é tanta, que muitas mulheres chegam a fechar os olhos quando o homem que ela ama sussurra bobagens carinhosas ao seu ouvido.

Quando passa uma mulher de corpo bonito, o homem, com sua pouca visão periférica, vira a cabeça para olhar e parece ficar hipnotizado. Pára de piscar e a boca se enche de saliva. Segundo a mulher, ele fica "babando". Se um casal está passeando e do outro lado da rua, em direção contrária, vem uma garota de saia curtíssima e andar provocante, a mulher, com sua boa visão periférica para curta distância, localiza a "ameaça" antes do homem. Rapidamente ela se compara com a possível rival e, em geral, se sente em desvantagem. Se o homem, por acaso, nota a garota, pronto – discussão na certa. Ela diz que ele está "comendo a outra com os olhos". Em situações como essa, a mulher costuma ter dois pensamentos negativos e errados: que ele preferia estar com a outra e que ela mesma não é fisicamente atraente. O homem é visualmente atraído por curvas, pernas e formas. *Qualquer* mulher de formas e proporções normais chama sua atenção.

Não quer dizer que o homem vá querer, imediatamente, carregar a outra mulher para a cama. A atração é um alerta: ele é um macho, e seu papel tradicional é aproveitar toda e qualquer oportunidade para aumentar a tribo. Afinal, nem conhece a outra e não poderia estar pensando em começar um relacionamento. É o mesmo quando ele olha a página central de uma revista masculina. Não interessa a personalidade daquela mulher nua, se ela cozinha bem ou sabe tocar piano. O que salta aos olhos são as curvas, as formas, os atributos físicos – e só. Não é muito diferente de admirar um belo presunto no balcão do mercado. Não estamos aqui arranjando desculpas para o olhar grosseiro, acintoso, de alguns homens. Estamos só explicando que o fato de um homem olhar para outra mulher não quer dizer que não ame sua parceira – é apenas a biologia em atividade. É interessante notar que em lugares públicos, como praias e piscinas, as mulheres olham mais para os homens do que o contrário.

Se um homem quer agradar sua mulher, uma das melhores maneiras é não olhar acintosamente para outras, principalmente em público. Se o seu olhar for inevitavelmente atraído, recomenda-se que, ao mesmo tempo, faça um elogio verdadeiro. Por exemplo: "Olha que moça bonita. Mas para mim não existe mulher mais linda do que você, querida." As mulheres precisam entender que o homem sofre o impulso biológico de olhar para certas formas e curvas femininas, e isso não é nenhuma ameaça. O que não impede que possam pedir a seu companheiro para não fazerem isso quando estiverem juntos, mostrando que é uma atitude que a magoa.

O QUE NÓS QUEREMOS MESMO A LONGO PRAZO

A tabela a seguir mostra o resultado de entrevistas com mais de 15.000 homens e mulheres com idades entre 17 e 60 anos e aponta, em ordem de importância, o que as mulheres procuram em um parceiro para um relacionamento estável e o que os homens pensam que elas querem.

A ***O que as mulheres procuram***	***B*** ***O que os homens pensam que elas procuram***
1. Personalidade	1. Personalidade
2. Humor	2. Corpo bonito
3. Sensibilidade	3. Humor
4. Inteligência	4. Sensibilidade
5. Corpo bonito	5. Boa aparência

Embora seja um estudo feito nos Estados Unidos, demonstra que os homens estão razoavelmente conscientes do que as mulheres procuram neles. Apenas um deles colocou "corpo bonito" no alto da lista. E 15 por cento afirmaram acreditar que era importante ter um pênis grande, opinião compartilhada por apenas dois por cento das mulheres. É tanta a importância que muitos homens dão ao tamanho do pênis, que as sex shops em toda parte oferecem equipamentos para extensão.

Agora, vamos dar uma olhada no que os homens procuram em uma companheira para um longo relacionamento e no que as mulheres *pensam* que eles querem.

C	***D***
O que os homens procuram	***O que as mulheres pensam que eles procuram***
1. Personalidade	1. Boa aparência
2. Boa aparência	2. Corpo bonito
3. Inteligência	3. Peito
4. Humor	4. Bunda
5. Corpo bonito	5. Personalidade

Como se pode perceber, as mulheres têm muito menos consciência dos critérios masculinos para um relacionamento duradouro. É porque elas se baseiam no que vêem e escutam dos homens – sua fixação em corpos femininos. As qualidades da lista **A** mostram o que a mulher procura no homem, seja para um relacionamento curto ou longo. Com eles, a coisa é diferente. Na lista **D** está o que o homem observa quando conhece a mulher, mas, quando se trata de um relacionamento estável, o que importa é o que está na lista **C.**

POR QUE OS HOMENS SÓ QUEREM "AQUILO"?

Homem quer sexo, mulher quer amor. Disso já se sabe há milhares de anos, mas raramente se fala sobre o assunto. Por que é assim? O que fazer a respeito? Está aí um dos principais motivos de descontentamento e discussão entre homens e mulheres. Pergunte a elas o que mais aprecia em um homem e a maioria provavelmente vai falar de atributos físicos próprios daqueles que caçavam ou dominavam grandes animais, acrescentando que também deseja que ele seja carinhoso, gentil, sensível e bom de papo, características que são essencialmente femininas. Infelizmente, corpo masculino e valores femininos só costumam ser encontrados juntos em gays.

O homem não conhece a arte de agradar a mulher – é preciso treino. O caçador, capaz de resolver problemas, conseguir comida e lutar contra os inimigos, quando chegava em casa só queria ficar olhando o fogo e fazer alguns movimentos pélvicos para aumentar a população. Na mulher, o desejo sexual depende, para a grande maioria, de se sentir amada e valorizada. É aí que as coisas se complicam. O homem precisa de sexo antes de entrar em sintonia com seus sentimentos. Infelizmente, a mulher precisa de sentimento antes de fazer sexo. O homem é preparado para caçar. Seu corpo está condicionado para isso e o mundo masculino, historicamente, foi de lutas e mortes – não havia lugar para a sensibilidade, a comunicação e os sentimentos. Perder tempo com isso podia diminuir a concentração, deixando a tribo vulnerável aos ataques. A mulher precisa entender a biologia que construiu o homem moderno e desenvolver estratégias adequadas para lidar com isso.

Desde pequenas, as mulheres ouvem que homem só quer "uma coisa" – sexo –, mas não é bem assim. O homem quer amor de uma mulher, mas só consegue chegar a ele através do sexo.

As prioridades sexuais de homens e mulheres são tão opostas, que não faz sentido ficarem se castigando. Não há nada a fazer, eles são como são. Além disso, as diferenças são um dos motivos da atração. O desejo sexual só é basicamente o mesmo nas relações entre homossexuais masculinos ou femininos. É por isso que o assunto amor/sexo não causa tanto desentendimento entre eles como entre os heterossexuais.

POR QUE O SEXO ACABA DE REPENTE?

Quem disse que o caminho para o coração de um homem passa pelo estômago mirou muito alto. Depois de uma relação sexual plena, seu lado mais delicado, feminino, aparece. Ele se torna capaz de ouvir pássaros cantando, se encanta com as cores das árvores, o perfume das flores, a letra de uma canção. Antes, provavelmente, só reparava nos passarinhos por causa da sujeira que faziam em seu carro. O homem precisa aprender que esse seu lado pós-sexo encanta e seduz a mulher. É só praticar e ele vai conseguir despertar nela o desejo. E a mulher, por sua vez, deve se convencer do quanto é importante proporcionar ao seu homem um sexo gostoso. Assim, além de usufruir desse sexo, vai poder aproveitar o lado mais romântico do seu parceiro e afirmar com muita convicção o quanto ele é atraente.

No início do relacionamento, o sexo é só amor e prazer. Ela se entrega e ele transborda de amor. Um alimenta o outro. Depois de alguns anos, porém, ficam tão preocupados, ele em conseguir comida e ela em cuidar da cria, que sexo e amor parecem acabar para os dois. Se a vida sexual é boa ou ruim, a responsabilidade é de ambos. Mas quando as coisas desandam, logo começa a troca de acusações. Os dois têm o que aprender. Ele, que a mulher precisa de atenção, estímulo, carinho e mais tempo para aquecer seu forno elétrico. E ela, que o homem se sente muito mais à vontade de agir assim depois do sexo. Se ele, na próxima vez em que for fazer amor, se lembrar de como se sente depois e liberar esses sentimentos antes, certamente vai se alegrar com a reação da mulher.

A chave é o sexo. Uma boa vida sexual por si só não resolve, mas ajuda significativamente qualquer relacionamento.

COMO MANTER UMA MULHER SATISFEITA SEXUALMENTE:

Acaricie, enalteça, mime, saboreie, massageie, conserte, acompanhe, cante, cumprimente, apóie, alimente, acalme, perturbe, brinque, tranqüilize, estimule, afague, console, abrace, ignore as gordurinhas, paparique, excite, pacifique, proteja, telefone, adivinhe, beije, aconchegue, perdoe, ajude, divirta, seduza, carregue, sirva, fascine, atenda, confie, defenda, vista, elogie, venere, reconheça, exagere, agarre, entregue-se, sonhe, provoque, recompense, toque, aceite, idolatre, adore.

COMO MANTER UM HOMEM SATISFEITO SEXUALMENTE:
Já chegue sem roupa.

O QUE HOMENS E MULHERES BUSCAM NO SEXO

Para o homem, sexo é coisa simples: liberação, através do orgasmo, de tensões acumuladas. Depois do sexo, o homem relaxa e por isso geralmente pega no sono. A mulher se sente abandonada e acha que ele é egoísta.

O homem também usa o sexo para expressar fisicamente o que não consegue expressar emocionalmente. Se estiver sem emprego, com a conta no vermelho ou questões a resolver, é muito provável que busque no sexo um alívio para a intensidade de suas emoções. A mulher geralmente não aceita isso, se sente usada, sem entender que essa é uma forma que ele tem de resolver seus problemas. Se a mulher quiser discutir um assunto com o companheiro, é melhor deixar para depois do sexo, quando ele fica com as idéias mais claras.

Todo homem tem a fantasia de fazer sexo com duas mulheres ao mesmo tempo. As mulheres gostam da idéia. Pelo menos, teriam com quem conversar depois que ele pegasse no sono.

O homem busca, através do sexo, liberar a tensão. Com a mulher, acontece o contrário: ela precisa de carinho e envolvimento amoroso por um bom tempo, até que sinta a excitação aumentar. Ele quer esvaziar, ela quer completar. O homem que percebe a diferença é um amante muito melhor. A maior parte das mulheres precisa de, pelo menos, 30 minutos de preparação até estarem prontas para o sexo. Para os homens bastam 30 segundos, e muitos acham que chegar perto da mulher já é preparação suficiente.

Depois do sexo, o corpo da mulher fica cheio de hormônios e ela se sente pronta para conquistar o mundo. Quer tocar, acariciar, falar. O homem, se não pega logo no sono, levanta e vai "fazer alguma coisa", como trocar uma lâmpada ou preparar um café. É que precisa manter sempre o autocontrole e, durante o orgasmo, se solta temporariamente. Ao se afastar e procurar o que fazer, consegue se controlar outra vez.

POR QUE OS HOMENS NÃO FALAM ENQUANTO FAZEM SEXO?

O homem só consegue fazer uma coisa de cada vez. Enquanto dura a ereção, é difícil falar, ouvir ou dirigir. É por isso que o homem raramente fala muito enquanto faz sexo. Às vezes, a mulher tem de prestar atenção à respiração dele, para ter certeza do progresso. O homem gosta de ouvir a mulher dizer com palavras bem cruas o que sabe e vai fazer com ele, mas tem que ser *antes* e não durante a transa, senão ele perde o rumo (e a ereção). Para fazer sexo, o homem usa o lado direito do cérebro. As tomografias mostram que a concentração é tanta, que ele fica virtualmente surdo.

Para falar enquanto faz sexo, o homem tem que mudar a operação do cérebro para o hemisfério esquerdo. A mulher consegue executar as duas tarefas ao mesmo tempo.

O ORGASMO COMO OBJETIVO

"Ela me usa quando quer e depois me deixa de lado. Detesto ser objeto sexual!" Alguém já ouviu essas palavras da boca de um homem? Nunca! O critério do homem para a satisfação é o orgasmo, daí a crença masculina de que o da mulher seja o mesmo. "Como é que alguém pode se satisfazer sem chegar ao orgasmo?", ele pergunta. Para o homem, é uma situação impossível. Ele, então, toma o orgasmo da mulher como medida de seu próprio sucesso como amante. Essa expectativa gera uma enorme pressão sobre ela, reduzindo suas chances de ter orgasmo. Ela precisa de proximidade e calor, de sentir a excitação aumentando, e é capaz de sentir enorme prazer durante a relação sem necessariamente chegar ao orgasmo. Como para o homem o orgasmo é um objetivo obrigatório e ele imagina que para a mulher seja o mesmo, ele insiste e fica um tempão tentando, certo de que é isso que ela quer.

Existe outra razão para a importância que o homem dá ao orgasmo da mulher: sua incapacidade de perceber os sentimentos e as emoções dela durante o ato sexual. Se ela "chegou lá", é porque ele deve ter feito um bom trabalho. O homem não entende que o orgasmo compulsório é um critério masculino para medir o sucesso, mas não necessariamente um critério feminino. Para a mulher, orgasmo é bônus, não medida.

Não há alternativa: apesar de sexo ser um assunto quase tabu entre homem e mulher quando se trata de sua própria relação sexual, é absolutamente necessário conversar a respeito com a maior abertura e honestidade. Só assim será possível construir uma relação gratificante para os dois.

O QUE É QUE NOS DESPERTA PARA O SEXO?

A seguir, uma lista dos principais estímulos para ambos os sexos, mostrando como homens e mulheres não conhecem as necessidades sexuais uns dos outros. As preferências refletem diretamente a organização cerebral. Homens são visuais e querem sexo. Mulheres são auditivas e sensitivas, querem proximidade e romance.

O que estimula a mulher	*O que estimula o homem*
1. Romance	1. Pornografia
2. Compromisso	2. Nudez feminina
3. Comunicação	3. Variedade sexual
4. Intimidade	4. Roupas íntimas
5. Toque não-sexual	5. Disponibilidade da mulher

A função biológica do homem é encontrar o maior número possível de fêmeas saudáveis e fazer com que fiquem grávidas. O papel biológico da mulher é ter filhos e buscar um companheiro que lhes dê assistência até que estejam criados. Essas forças primitivas ainda têm influência, apesar de vivermos em um tempo em que a sobrevivência não depende mais da procriação. Por isso, compromisso e romance são tão importantes para a mulher, já que demonstram a disposição do homem em ajudar na criação da prole. Daí também resulta a necessidade feminina de monogamia, o que vamos discutir no próximo capítulo.

POR QUE OS HOMENS SÃO INJUSTIÇADOS?

Tudo o que excita o homem costuma ser chamado de sujo, desagradável, grosseiro ou doentio, principalmente pelas mulheres. De um modo geral, elas não se impressionam com os itens da lista masculina e eles não dão grande importância aos da lista feminina.

Os tópicos apontados pelas mulheres como estimulantes costumam ser exaltados em filmes, livros e campanhas publicitárias, enquanto os que estimulam os homens são considerados pornográficos ou de mau gosto. Mas, do ponto de vista da biologia, a lista está correta. Por causa das críticas, eles escondem suas coleções de *Playboy* e negam que tenham fantasias sexuais. Assim, além de não satisfazerem suas necessidades, ainda sentem culpa e remorso. Quando homem e mulher conhecem a história de seus desejos, fica mais fácil compreender e aceitar, sem ódios, ressentimentos ou culpa. Ninguém deve fazer o que não tiver vontade, mas uma conversa franca sobre as necessidades dos dois pode levar a um relacionamento mais prazeroso. E o homem tem que reconhecer que é muito mais simples para ele preparar um jantar ou um fim de semana romântico do que para a mulher vestir uma cinta-liga e se pendurar no lustre.

O MITO DOS AFRODISÍACOS

Entre as centenas de produtos afrodisíacos conhecidos, nenhum teve seu efeito cientificamente comprovado. No máximo, podem ter o que se chama *efeito placebo* – se você acredita que funciona, provavelmente vai funcionar. Alguns desses ditos afrodisíacos podem mesmo inibir ou reduzir o desejo sexual, em especial aqueles que afetam os rins ou provocam coceira e irritação na pele. Efeito garantido mesmo só têm aqueles que aparecem na lista do que estimula homens e mulheres.

OS HOMENS E A PORNOGRAFIA

Homem gosta de pornografia. Mulher, não. A pornografia, ao mostrar imagens explícitas de corpos, sensualidade e sexo, vai direto às necessidades biológicas do homem, embora muitas mulheres achem que tudo não passa de exploração e insensibilidade masculina. Não existem provas concretas de ligação entre pornografia e crimes sexuais. Os prejuízos possíveis são de ordem psicológica, tanto para mulheres quanto para homens, já que nas imagens eles são mostrados como animais capazes de passar horas seguidas transando sem parar, o que pode afetar as expectativas sobre seu próprio desempenho.

Qual é a diferença entre erotismo e tara?
Erotismo é quando você usa uma pena.
Tara é quando usa a galinha.

Na pornografia, mulheres e homens são apresentados como precisando dos mesmos estímulos físicos e visuais para ficarem excitados, e elas tendo um apetite sexual igual ou maior que o deles. Isso pode ter um impacto negativo sobre as mulheres também. Sua auto-estima sofre prejuízo quando elas vêem outras mulheres sendo tratadas como objetos sexuais e com uma fome de sexo completamente fora da realidade. Pesquisas com jovens de 18 a 23 anos apontam que 50 por cento dos rapazes acham que sua vida sexual não é tão boa quanto a que se vê nos filmes, programas de televisão e revistas. Entre as mulheres, 62 por cento afirmaram considerar sua vida sexual igual ou melhor do que a mostrada nos meios de comunicação. Parece que os homens são mais afetados pelas expectativas quanto ao seu desempenho do que as mulheres. Mas nunca se tem certeza da veracidade do que é afirmado quando se trata de desempenho sexual.

AS MULHERES SÃO MANÍACAS SEXUAIS?

Se alienígenas vindos de outras galáxias chegassem à Terra e fizessem uma pesquisa em filmes, livros e revistas femininas e masculinas, certamente chegariam à conclusão de que as fêmeas da espécie humana têm um apetite sexual insaciável, pulam em cima de qualquer homem que apareça e conseguem orgasmos múltiplos. Essa é a imagem da mulher moderna passada pela mídia. Na verdade, a devoradora de homens maníaca por sexo é uma criação do imaginário masculino e não corresponde a um por cento da população feminina. Como muitas mulheres não conseguem corresponder às imagens que vêem, começam a pensar que não são normais. E os homens, estimulados a acreditar no grande apetite sexual feminino, ficam aborrecidos e frustrados se suas parceiras não tomam a iniciativa com freqüência. As revistas estão cheias de artigos com os títulos "Consiga orgasmos múltiplos em cinco dias", "Sexo tântrico – prazer que dura horas", "Eu transei com 300 homens em três anos" ou "Como manter a ereção dele a noite toda". Não admira que homens e mulheres sejam levados a acreditar que elas só pensam em sexo.

A mulher de hoje tem a mesma necessidade de sexo de suas mães e avós, só que estas reprimiam e não falavam sobre o assunto. Antes da pílula anticoncepcional, a frustração devia ser bem maior. Mas, certamente, menor do que a que sentimos com o que nos chega pela mídia.

NO ESCURO OU NO CLARO?

Como já sabemos, quando se trata de sexo, o homem gosta de ver. Formas, curvas, nudez, pornografia, tudo. Kinsey contou 76 por cento dos homens e apenas 36 por cento das mulheres preferindo fazer sexo com a luz acesa. Em geral, as mulheres não são estimuladas por imagens de nudez, a não ser que seja a de um casal em uma cena romântica ou sugestiva. O homem que vê uma mulher nua fica altamente estimulado e excitado.

A mulher quer palavras e sentimentos. Prefere fazer sexo com pouca luz, no escuro ou de olhos fechados, o que combina com seu equipamento sensorial precisamente sintonizado. Toques gentis, carícias sensuais, "besteirinhas" sussurradas ao ouvido excitam a maior parte das mulheres. Volta e meia surgem revistas femininas com fotos de nu masculino na página central tentando nos convencer de que a atração da mulher pela nudez é igual à do homem. Mas o que se vê é que fazem muito sucesso... entre os gays.

Todas as tentativas de vender pornografia para mulheres têm falhado, embora, no fim dos anos 1990, tenha havido um aumento na procura de calendários com fotos de homens seminus, chegando a superar a venda dos que mostram mulheres nuas. Os compradores se enquadram em três categorias: garotas que colecionam fotografias de seus astros e cantores favoritos, mulheres que querem fazer brincadeiras com as amigas e homens gays.

Capítulo 10

Casamento, Amor e Romance

A partir de tudo o que já vimos, poderíamos nos perguntar: por que homem e mulher se casam num ritual que envolve juras de uma fidelidade que implica renúncia a outros relacionamentos no campo sexual? Por que se prometem amor e dedicação em todas as circunstâncias, "até que a morte os separe", quando assistiram ao desgaste inevitável do dia-a-dia no casamento de seus pais e amigos?

O casamento tem um lado bom.
Ensina lealdade, sentido de família, tolerância, autocontrole e outras qualidades de que você nunca precisaria tanto se não tivesse casado.

Qual é a vantagem do casamento para o homem? Em termos de evolução, aparentemente nenhuma. O homem é como o galo, tem necessidade de espalhar ao máximo e com a maior freqüência suas sementes genéticas. Apesar disso, a maioria dos homens ainda se casa e, quando se divorcia, torna a casar ou viver com outra mulher.

A seguinte pergunta foi feita a vários homens: "O que o casamento lhe traz de bom?" A maior parte deles resmungou qualquer coisa sobre ter um lugar seguro e confortável para viver, comida e roupa bem passada. Basicamente, queriam uma mistura de mãe com empregada doméstica. Apenas 22 por cento deles consideravam a companheira como sua melhor amiga. Em geral, o melhor amigo de um homem é outro homem, já que os dois se entendem quanto aos processos de pensamento.

Ao ouvir a pergunta "Quem é seu melhor amigo?", 86 por cento das mulheres apontaram outra mulher, ou seja, alguém com estrutura cerebral similar.

Muitos homens, ao assinar a certidão de casamento, pensam estar dando início a uma era de sexo a qualquer hora. Só que isso nunca é discutido antes, e as mulheres não pensam do mesmo modo. Pesquisas revelam, porém, que os homens casados fazem mais sexo que os solteiros, sendo que os primeiros, entre 25 e 50 anos, alcançam a média de três vezes por semana. A média dos solteiros é de menos de uma vez por semana. Em 1997 foi feita na Austrália uma pesquisa que concluiu: 21 por cento dos homens solteiros não tinham feito sexo uma só vez durante o ano, assim como três por cento dos casados. Conforme já vimos, sexo é ótimo para a saúde. Os homens solteiros ou viúvos devem portanto viver menos, em média, que os casados.

POR QUE AS MULHERES PRECISAM DE MONOGAMIA?

Embora o casamento, do ponto de vista legal, tenha se tornado um "tigre desdentado" nas sociedades ocidentais, ele ainda é o sonho da maioria das mulheres. Noventa e um por cento das pessoas se casam. Para a mulher, o casamento é uma demonstração pública de que ela é "especial" para um certo homem, que pretende ter com ela um relacionamento monogâmico, além de lhe dar segurança. A sensação de ser "especial" tem um efeito significativo sobre a ação química do cérebro feminino. Esse fato foi comprovado por pesquisas que apontaram que a mulher tem de duas a três vezes mais orgasmos nos relacionamentos monogâmicos e de quatro a cinco vezes mais quando faz sexo na cama do casal.

Corre entre os mais velhos a crença de que os jovens consideram o casamento uma instituição superada. Em 1998 foram entrevistados 2.344 estudantes universitários de 18 a 23 anos, metade rapazes, metade moças, e se pôde ver que não é bem assim. Entre elas 84 por cento e entre eles 70 por cento afirmaram que pretendem se casar algum dia. Somente cinco por cento dos rapazes e dois por cento das moças achavam o casamento ultrapassado.

Para 92 por cento das pessoas de ambos os sexos, a amizade é mais importante que o relacionamento sexual. A idéia de um casamento para o resto da vida agrada a 86 por cento das mulheres e a 75 por cento dos homens. Apenas 35 por cento dos casais dizem que os relacionamentos de hoje em dia são melhores que os da geração anterior. A fidelidade é muito importante para as mulheres, sendo que, entre as de menos de 30 anos, 44 por cento afirmaram que terminariam o relacionamento se descobrissem uma traição. Esse índice desce para 32 por cento entre as de 30 a 39 anos. A partir dos 40 anos, a percentagem chega a 28 por cento e cai para 11 por cento entre as de mais de 60. Daí se conclui: quanto mais jovem a mulher, mais intolerante com o homem que "pula a cerca", e maior a importância da monogamia em sua escala de valores. É possível também que, para os casados há mais tempo, haja raízes no relacionamento que relativizem o impacto de uma infidelidade.

É essa diferença que os homens custam a entender. A maioria acha que uma aventura passageira não interfere no relacionamento. Para eles, sexo é uma coisa, amor é outra. Mas, para as mulheres, amor e sexo estão interligados. Um encontro sexual com outra mulher pode ser considerado uma traição imperdoável e um bom motivo para dar por terminado o relacionamento.

POR QUE OS HOMENS EVITAM COMPROMISSOS?

O homem casado ou que tem um relacionamento estável sempre sonha em segredo com o festival de sexo e divertimento que os solteiros aproveitam. Imagina as festas, as aventuras, a liberdade e banheiras cheias de lindas mulheres peladas. Tem medo de estar perdendo oportunidades que não voltam mais. Ainda que, quando solteiro, nunca houvesse tido essas oportunidades. Esquece as noites que passou sozinho jantando comida enlatada fria, os foras que levou na frente dos amigos e os longos jejuns de sexo. Mas não consegue evitar a ligação que faz entre compromisso e oportunidades perdidas.

O homem prefere esperar pela mulher ideal, mas, com o passar do tempo, só o que consegue é ficar mais velho.

ONDE É QUE FICA O AMOR NO CÉREBRO?

A Dra. Helen Fisher, antropóloga da Rutgers University, de Nova Jersey, Estados Unidos, em um trabalho pioneiro, vem usando as tomografias cerebrais para localizar o amor no cérebro. Com o estudo ainda em fase preliminar, foram localizados três tipos de emoções: atração, paixão e afinidade. Cada uma tem sua química específica que aciona o cérebro quando uma pessoa se interessa por outra. Em termos biológicos, esses três componentes do amor evoluíram para atender a função vital de assegurar a reprodução. Uma vez conseguida a concepção, o sistema desligaria e interromperia o processo do amor.

O primeiro estágio – a atração – se refere aos aspectos físicos e não-verbais já discutidos. Quanto ao segundo, Helen Fisher afirma: "Paixão é aquele estágio em que a outra pessoa fica 'martelando' na sua cabeça. O cérebro só focaliza as qualidades e ignora os defeitos." A finalidade da paixão é tentar estabelecer uma ligação com um parceiro – ou parceira – em potencial, e a emoção é tão forte, que causa uma euforia incrível. Havendo rejeição, pode provocar um desespero terrível e levar à obsessão, ou, em casos extremos, acabar em assassinato ou suicídio. Durante o estágio da paixão, várias substâncias químicas poderosas são liberadas e a satisfação é completa. A dopamina provoca a sensação de bem-estar, a feniletilamina aumenta a excitação, a serotonina cria sentimento de estabilidade emocional e a noradrenalina produz a certeza de que tudo se pode conseguir, tudo é possível. A pessoa dependente de sexo é aquela que fica viciada no coquetel hormonal desse estágio e tenta fazer com que ele se repita sempre. Mas é uma situação temporária, que dura entre três e 12 meses, e o sentimento é confundido por muitos com amor. Na verdade, é um truque biológico da natureza com o objetivo de que homem e mulher fiquem juntos tempo suficiente para procriar. O perigo desse estágio é o casal apaixonado acreditar que seus impulsos sexuais combinam perfeitamente só porque transam sem parar. As verdadeiras diferenças no sexo só vão aparecer quando termina o estágio de paixão e começa o da afinidade.

A paixão é um truque biológico da natureza que tem como objetivo a união entre homem e mulher pelo tempo suficiente para procriar.

Quando a realidade finalmente supera a paixão, pode acontecer de um dos parceiros rejeitar o outro, haver rejeição mútua ou começar o terceiro estágio, da afinidade. Neste, o foco se desloca para a construção conjunta de um relacionamento que dure, pelo menos, o suficiente para criar os filhos. Com mais pesquisas e o rápido avanço da tecnologia, Fisher espera, em breve, chegar à fórmula que permita localizar o amor e as emoções no cérebro de homens e mulheres. Conhecendo os três estágios, fica mais fácil lidar com a paixão e se preparar para suas possíveis conseqüências.

AMOR – POR QUE O HOMEM ESTÁ DENTRO E A MULHER ESTÁ FORA?

Dizem que o amor confunde, e é verdade, principalmente para o homem. Movido a testosterona, ele entra com facilidade na fase de atração. Passando à fase da paixão, é tanto hormônio, que fica perdido. E, quando cai na realidade, às vezes cai de mau jeito. A mulher, que era irresistível à meia-noite, pode, ao amanhecer do dia seguinte, parecer boba e sem graça.

O cérebro feminino tem os centros da emoção e da razão mais bem conectados. Além disso, a mulher não perde o controle por causa da testosterona. Assim, fica mais fácil avaliar se o homem é ou não um parceiro potencialmente adequado. É por isso que, na maior parte dos relacionamentos que chegam ao fim, é a mulher que toma a iniciativa do rompimento, deixando o homem completamente confuso.

POR QUE É TÃO DIFÍCIL UM HOMEM DIZER "EU TE AMO"?

Para a mulher, fazer uma declaração de amor não é problema. Sua estrutura cerebral enche seu mundo de sentimentos, emoções, comunicação e palavras. A mulher sabe que se ela se sente protegida, valorizada e querida, e os dois já chegaram à fase da afinidade, então deve ser amor. O homem não sabe bem o que é o amor e o confunde com atração e paixão. Se ele não consegue tirar as mãos dela... então deve ser amor. Seu cérebro fica cego pela testosterona, tem ereção a toda hora e não consegue pensar direito. Às vezes, o relacionamento já dura anos quando ele se dá conta, retrospectivamente, de que realmente amava sua mulher. A mulher sabe quando é amor de verdade. Por isso, ao perceber que não vale a pena continuar, toma a iniciativa de dar fim ao relacionamento.

A mulher percebe quando não é amor.
Por isso, se é preciso terminar o
relacionamento, toma a iniciativa.

Muitos homens têm verdadeira fobia a compromisso. Pensam que pronunciar a palavra "amor" possa significar compromisso para a vida toda e o fim de qualquer possibilidade de entrar em uma banheira cheia de lindas mulheres nuas. Aqueles que ousam pronunciar a tal palavra passam a querer dizê-la a todas, em todo lugar. E muitos nem notam como as mulheres que ouvem a palavra mágica – amor – têm muito mais orgasmos.

COMO OS HOMENS PODEM SEPARAR AMOR E SEXO

É difícil a mulher feliz no casamento ter um caso fora dele, mas para o homem é uma situação comum. Mais de 90 por cento dos relacionamentos começam por iniciativa do homem, mas 80 por cento acabam por iniciativa da mulher. Isso acontece porque, quando a mulher percebe que a relação é superficial, só física, na maioria das vezes "pula fora". O cérebro masculino, dividido em compartimentos, vê uma coisa de cada vez: isola amor e sexo e lida com cada um em separado. O homem, então, se satisfaz com um relacionamento baseado em forte atração física – que absorve toda a sua atenção. A localização do amor no cérebro ainda não está bem definida, mas os estudos mostram no cérebro feminino uma rede de conexões entre o centro do amor e o centro do sexo (o hipotálamo), sendo que o primeiro tem que ser ativado antes do segundo. No cérebro masculino, parece não haver essas conexões, facilitando a separação entre amor e sexo. Para o homem, sexo é sexo e amor é amor. Às vezes, os dois acontecem juntos.

Quando a mulher descobre que seu companheiro tem um caso com outra, a primeira pergunta é: "Você ama aquela mulher?" Se o homem responde "Não, foi só atração física, nada mais", é provável que esteja dizendo a verdade. O cérebro feminino não tem estrutura para entender ou aceitar uma resposta dessas. Para a mulher, sexo e amor andam juntos, e pior do que o ato sexual em si é o rompimento do contrato emocional e da confiança que tinha nele. Se ela tiver um caso e disser que não significou nada, provavelmente estará mentindo. Quando a mulher vai para a cama com um homem é porque tem uma ligação emocional com ele. Atenção: como sempre, estamos falando da maioria.

Para a mulher, amor e sexo estão entrelaçados.
Um não anda sem o outro.
Enquanto a mulher faz amor, o homem faz sexo.

Quando um homem fala em "fazer sexo", pode estar se referindo apenas à parte física, mas isso não quer dizer que não ame sua mulher. Também pode ser que esteja querendo dizer "fazer amor". E pode ser ainda que só queira mesmo sexo e esteja evitando usar o termo "fazer amor" para não enganar a mulher. Quando ambos entenderem as perspectivas um do outro e decidirem não julgar, essa vai deixar de ser uma pedra no caminho do relacionamento.

"O senhor dormiu com esta mulher?"
– perguntou o juiz.
"Não, excelência, nem um segundo!"

O PORQUÊ DA ATRAÇÃO

Estudos feitos pelo Kinsey Institute revelam que, durante o ato sexual, o modo como o homem vê a mulher que está com ele depende da profundidade de seus sentimentos por ela. Ou seja: se ele estiver loucamente apaixonado, vai sentir uma tremenda atração por seu corpo, por suas pernas perfeitas, mesmo que outros digam que ela tem mais pneus que uma borracharia. Em compensação, uma mulher estonteante pode não causar o menor impacto se ele não estiver interessado. Por isso, ele dá tanta importância à aparência nos primeiros encontros, mas, para um relacionamento mais longo, se preocupa mais com a personalidade, como vimos no capítulo 9.

Para a mulher, o homem que merece nota cinco às sete da noite recebe a mesma nota à meia-noite, não importa quantas doses ela tenha bebido.

Com o homem não acontece o mesmo. Pesquisas em bares para solteiros revelaram que, com o passar das horas, os homens sozinhos vão achando as mulheres disponíveis cada vez mais atraentes. Uma mulher que, às sete da noite, de zero a dez, recebe a nota cinco, às dez e meia já recebe um sete e, à meia-noite, oito e meio. Provavelmente foi o álcool que fez as notas subirem. Mas, para as mulheres, o homem que recebia nota cinco às sete horas continuava com a mesma avaliação à meia-noite.

O álcool não faz os homens parecerem mais atraentes. Às vezes até piora a avaliação. Isso quer dizer que a mulher não muda de opinião com o passar das horas ou com a bebida. Continua a medir a viabilidade de um bom parceiro mais pelas características pessoais do que pela aparência física. Já o homem acha mais atraente a mulher com quem vê mais probabilidade de vir a exercer seu papel de fornecedor profissional de esperma.

OS OPOSTOS SE ATRAEM?

Estudos demonstraram que os relacionamentos duram mais quando os parceiros têm valores, interesses, atitudes e percepções semelhantes. É quando dizem que dá um "clic". Mas semelhança demais enjoa. É preciso um pouco de diferença para tornar a convivência interessante, complementando as personalidades, mas sem interferir no estilo de vida de cada um. Um homem tímido, por exemplo, pode se sentir atraído por uma mulher extrovertida, e uma mulher ansiosa pode se encantar com um homem tranqüilo, bonachão.

O SEGREDO É A RELAÇÃO CINTURA/QUADRIL

O padrão de beleza mudou bastante desde as formas femininas rechonchudas do século XVI até as atuais top models, magérrimas. Só uma coisa não mudou: a relação cintura/quadril nunca deixa de atrair os olhares masculinos. Está provado que as mulheres com uma relação de 70 por cento entre cintura e quadril são mais férteis e saudáveis. O Dr. Devendra Singh, da Universidade de Cambridge, entrevistou homens de várias nacionalidades e fez uma descoberta interessante: em algum ponto da evolução, o homem aprendeu a calcular inconscientemente essa medida e agora traz esse conhecimento instalado no cérebro.

As mulheres preferem os homens de bunda bem torneada e firme, embora a maioria não saiba por quê.

Para as mulheres, a boa notícia é que, se tiverem a cintura medindo de 67 a 80 por cento dos quadris, vão atrair os olhares masculinos, ainda que estejam com cinco a dez quilos acima do peso. As curvas são o critério essencial. A mulher continua preferindo o homem com corpo em forma de V – ombros largos, cintura estreita e braços fortes, que são os pré-requisitos para um bom caçador. Também gosta de bundas bem torneadas e durinhas, embora poucas saibam a razão dessa atração. Somos o primeiro primata a ter o "traseiro" saliente com duas finalidades: ajudar a posição de pé e dar mais impulso durante o ato sexual, aumentando as chances de fertilização.

OS HOMENS E O ROMANTISMO

Não é que os homens não queiram ser românticos. É que eles não entendem a importância do romantismo para a mulher. Os livros que compramos são uma clara indicação dos assuntos que nos interessam. As mulheres gastam milhões a cada ano em histórias bem românticas. As revistas femininas só falam de amor, namoro, casos de pessoas famosas ou quais as dietas, roupas e exercícios indicados para conseguir mais amor. Um estudo feito na Austrália concluiu que as mulheres que lêem romances fazem duas vezes mais sexo do que as que não lêem. Os homens, ao contrário, além das revistas eróticas, só se interessam por publições e livros técnicos, sobre assuntos relacionados à habilidade espacial, de computação a mecânica, e atividades "de caçador", como futebol, caça e pesca.

Não há dúvida: em matéria de romance, o homem geralmente não sabe como agir. Isso é bastante compreensível, já que o homem moderno não teve com quem aprender. Seu pai também não entendia nem se interessava pelo assunto. Recentemente, em uma de nossas conferências, uma mulher nos contou que cobrou do marido mais demonstrações de carinho – e ele lavou e deu polimento no carro dela. Como presente de aniversário, comprou para ela um macaco de carro. E para comemorar dez anos de casamento foram assistir a uma luta de boxe – na primeira fila. O homem demonstra carinho "fazendo" coisas que ele valoriza.

Nunca se esqueça de que a mulher é romântica. Ela gosta de vinho, flores e chocolate. Mostre que você também gosta... Pelo menos, fale nisso de vez em quando.

ALGUMAS DICAS QUENTES PARA UM HOMEM ROMÂNTICO

Amor e romance não são problemas para as mulheres, mas muitos homens pensam que ser romântico é só estar pronto para fazer sexo a qualquer hora, em qualquer lugar. A capacidade masculina para o romantismo (ou a falta dela) exerce um papel importante na disposição da mulher em ir para a cama com ele. Portanto, aqui vão algumas dicas testadas e aprovadas há 5.000 anos.

Quer saber se um homem está pronto para fazer sexo? Veja se ele está respirando.

1. *Prepare o ambiente.* – Se levarmos em consideração a sensibilidade da mulher ao que se passa em volta e a receptividade de seus sentidos aos estímulos externos, vamos ver que vale a pena dar atenção ao ambiente. O estrogênio faz a mulher reagir positivamente à iluminação certa. Um quarto à meia-luz faz as pupilas dilatarem e as pessoas ficarem mais atraentes – as manchas e rugas da pele desaparecem. Boa música também é importante para os ótimos ouvidos femininos, e uma caverna limpa e segura é bem melhor do que outra que possa ser invadida por estranhos ou por crianças a qualquer momento. Garanta a privacidade.
2. *Providencie a comida.* – É importante para a mulher ser convidada para jantar fora. Mesmo que não esteja com fome, vê na oferta de comida uma prova de preocupação com seu bem-estar e sobrevivência, uma forma de poupá-la do trabalho de providenciar a refeição. Quando é ele quem prepara a comida, o significado é ainda mais profundo e desperta sentimentos primitivos nos dois.
3. *Acenda o fogo.* – Apanhar madeira e acender o fogo para dar calor e proteção tem sido tarefa masculina há centenas de milhares de anos e desperta o lado romântico da maioria das mulheres. Que tal um fim de semana na serra durante o inverno, com o fogo crepitando na lareira graças ao empenho dele?
4. *Compre flores.* – A maior parte dos homens não conhece o poder de um ramo de flores. Eles pensam: "Para que gastar dinheiro com uma coisa que logo morre e vai para o lixo?" Para o raciocínio lógico masculino, faz mais sentido comprar um vaso de planta que, com cuidado e atenção, sobrevive. A mulher não vê as coisas por esse ponto de vista. Ela quer flores. Em poucos dias, as flores morrem, é verdade, mas con-

têm todo um simbolismo de requintada atenção que satisfaz o lado romântico da mulher.

5. *Convide para dançar.* – Os homens bem que tentam, mas muitos deles não têm, no hemisfério direito, a habilidade necessária para sentir o ritmo. Veja nas aulas de ginástica aeróbica os homens (se houver algum) tentando acompanhar. O homem que toma aulas de dança faz sucesso nas festas com *todas* as mulheres. Já foi dito que dançar é a representação vertical de um desejo horizontal. A história mostra que a dança é um ritual que evoluiu para permitir a aproximação dos corpos, preparando o caminho para o namoro, exatamente como acontece com outros animais.
6. *Não deixe faltar champanhe e chocolate.* – Há muito essa combinação está associada ao romance, embora poucos saibam por quê. O champanhe contém uma substância química que não é encontrada em nenhuma outra bebida alcoólica e aumenta o nível de testosterona. O chocolate contém feniletilamina, que estimula o centro do amor no cérebro da mulher. Uma pesquisa recente feita por Danielle Piomella, do Neurosciences Institute, de San Diego, descobriu novas substâncias químicas – as N-aciletanolaminas – que se unem a receptores no cérebro feminino causando efeito semelhante ao da maconha. Essas substâncias estão presentes no cacau e no chocolate escuro, mas não no café e no chocolate branco.

POR QUE OS HOMENS PARAM DE TOCAR E DE FALAR?

"Antes do casamento, nós vivíamos de mãos dadas em público e conversávamos tanto... Ele me fazia massagem nas costas... Agora, nunca pega na minha mão, não quer conversar e só me toca quando quer transar." Você tem a impressão de já ter escutado isso?

Depois de casado, o homem sabe tudo sobre sua mulher. Então, para que conversar?

O namoro é a fase do relacionamento em que o homem mais toca a mulher. Na verdade, está louco para "pôr as mãos nela", mas ainda não recebeu o sinal verde para carícias mais íntimas. Então, toca em todos os lugares permitidos. Depois que "avança o sinal", não vê mais motivo para voltar aos velhos tempos e se concentra só no que ele considera as "partes melhores". Durante o namoro, ele conversa bastante, colhe informações – fatos e dados sobre a namorada – e fala sobre si mesmo. Depois de casado, acha que já sabe tudo o que precisava saber e não vê necessidade de muito papo. As lições que o homem deve aprender são duas: o cérebro feminino é programado para se comunicar pela fala e a sensibilidade da mulher ao toque é dez vezes maior que a dele. Melhorar seu desempenho nessas áreas – fala e toque – é melhorar incrivelmente a qualidade de sua vida afetiva.

POR QUE OS HOMENS APALPAM E AS MULHERES NÃO?

A ocitocina, conhecida como o "hormônio da carícia", é liberada quando a pele é tocada de leve ou acariciada. Aumenta a sensibilidade ao toque e o sentimento de intimidade. É fator determinante do comportamento das mulheres em relação a homens e bebês. Quando a mulher amamenta, é esse hormônio que estimula o reflexo que faz soltar o leite.

Quando a mulher acaricia o homem, geralmente dá o que gostaria de receber: faz cafuné na cabeça, passa a mão no rosto, esfrega as costas e alisa os cabelos. Esse tipo de toque tem pouco efeito sobre o homem – às vezes até incomoda. A pele masculina é pouco sensível para que não sinta dor nem perceba os ferimentos durante a caça. Os homens preferem ser tocados em uma determinada área, e muito. O que cria um problema sério. Quando acaricia a mulher, o homem dá o que gosta de receber: aperta os seios e apalpa entre as pernas. Está aí uma coisa que as mulheres detestam e é motivo de aborrecimento para os dois. Homem e mulher devem aprender a tocar a parceira – ou parceiro – de acordo com a sensibilidade e as necessidades individuais. Assim, o relacionamento vai ficar muito mais rico.

EXISTE MESMO O AMOR DE PRIMAVERA?

O relógio biológico da natureza funciona de modo a permitir que as fêmeas tenham seus filhos na época mais quente do ano, para facilitar a sobrevivência. Se, em uma determinada espécie, o período de gestação é de três meses, a natureza faz os machos mais excitados na primavera para que a cria nasça no verão. Nos seres humanos a gestação dura nove meses. Então, o nível de testosterona do homem aumenta nove meses antes do verão – no outono. Aquela história de que "na primavera tudo é amor" só se aplica aos animais que têm um período de gestação de cerca de três meses.

"Amor de primavera" é só para animais com período de gestação curto.

As pesquisas demonstram que, no hemisfério sul, o nível de testosterona dos homens aumenta em março, e no hemisfério norte, em setembro. É quando melhora também a habilidade espacial. (Se achar interessante, volte ao capítulo 9 e veja como isso acontece.)

COMO EROTIZAR O PENSAMENTO

A mente é um coquetel de reações químicas. Então, é possível erotizar o pensamento. Muitos terapeutas sexuais ensinam a técnica. É preciso se concentrar apenas nos aspectos positivos do parceiro – ou parceira – e lembrar das experiências sexuais mais "quentes" que tiveram juntos. O cérebro reage liberando as substâncias químicas que despertam o desejo e a excitação. É a mesma reação que acontece durante o período de atração e namoro, quando cada um só vê as qualidades do outro e o apetite sexual aparece, insaciável. Também é possível afastar qualquer pensamento erótico. Basta se concentrar nos defeitos do outro – ou outra. Assim, o cérebro não libera as substâncias que causam o desejo e a excitação.

RECRIANDO A PAIXÃO

Boa notícia: se é possível despertar o cérebro para o sexo, também é possível despertá-lo para a paixão. Basta recriar as rotinas do tempo de namoro e do início do relacionamento. É por isso que jantares à luz de velas, passeios de mãos dadas pela praia e fins de semana românticos funcionam tão bem. O casal leva um "choque" hormonal – uma sensação que costuma ser descrita como "estar nas nuvens". Quem espera que o clima de paixão dure para sempre certamente se desaponta. Mas, com um bom planejamento e um convicto investimento, pode ser recriado em muitos momentos.

COMO ENCONTRAR O PARCEIRO – OU PARCEIRA – IDEAL

O amor começa com uma atração que pode durar horas, dias ou semanas. A seguir vem a paixão, que dura, em média, de 3 a 12 meses, até que a afinidade apareça. Quando o deslumbramento causado pelo coquetel de hormônios diminui de intensidade, depois de mais ou menos um ano, e vemos o outro – ou outra – à luz do dia, alguns detalhes que pareciam encantadores podem passar a ser irritantes. Antes, ela achava engraçado ele não conseguir encontrar nada na geladeira, mas agora tem vontade de gritar. Ele adorava ouvir tudo o que ela dizia, mas agora chega a pensar em apertar o pescoço dela. E cada um se pergunta: "Eu posso viver assim para o resto da minha vida? O que nós temos em comum?"

A rosa é a flor do amor. Depois de três dias, as pétalas caem e você fica com uma coisa feia e pontuda nas mãos.

Encontrar a "cara-metade" significa ver o que os dois têm em comum a longo prazo e fazer isso antes de a cegueira natural causada pelos hormônios operar. Quando a paixão acabar – e vai acabar –, vai ser possível um relacionamento baseado em companheirismo e interesses comuns? Serão capazes de construir uma feliz cumplicidade? Pense bem e, se for o caso, faça uma lista dos valores que lhe agradam a longo prazo e vai saber exatamente o que procura. Serão valores semelhantes aos que encontra nos amigos com quem tem tanto prazer de conviver e em quem confia. O homem que chega a uma festa e vai procurar a mulher "ideal" com base na testosterona – belas pernas, sem barriga, bundinha arrebitada, seios empinados e assim por diante. A mulher irá procurar um homem sensível e carinhoso, com uma silhueta em V e personalidade forte. Todas essas são necessidades biológicas que funcionam a curto prazo e não garantem o sucesso em um relacionamento nos dias atuais. Se você se conscientizar de tudo isso, vai ter mais objetividade na próxima vez em que a natureza tentar assumir o controle.

A natureza quer o máximo de procriação e, para isso, lança mão de drogas poderosas. Quem sabe disso e tem uma descrição do que procura para um relacionamento longo corre menos risco de se enganar na difícil busca do par perfeito com quem, finalmente, espera ser feliz para sempre.

Capítulo 11

Rumo a um Futuro Diferente

"Pode ser que nunca se consiga saber o que levou nossos ancestrais peixes a saírem da água."

David Attenborough – Naturalista

Dizem que é bom ser homem. Homem pode andar de peito nu pelas praias da Tunísia sem ser apedrejado até à morte, não precisa se lembrar de onde deixou suas coisas e pode comer banana na frente de peões de obra.

Dizem que é bom ser mulher. Mulher pode comprar as próprias roupas, cruzar as pernas sem ter que "arrumar as coisas" e dar um tapa na cara de um homem em público com a certeza de que todo mundo em volta vai achar que ela tem razão.

É bom ser homem porque se pode comprar nabo e pepino sem constrangimento.

Homens e mulheres são diferentes. Nem melhores nem piores – apenas diferentes. A ciência sabe disso, mas as pessoas politicamente corretas fazem de tudo para negar. Existe uma visão política e social de que homens e mulheres devem ser tratados igualmente com base na estranha crença de que são iguais. É claro que não são.

O QUE HOMENS E MULHERES QUEREM DE VERDADE?

Até chegar ao homem moderno, pouco mudou no correr dos séculos. Ainda hoje, 87 por cento deles dizem que o que mais importa na vida é seu trabalho e 99 por cento dizem que querem ter uma ótima vida sexual. Mas, para a mulher moderna, houve bastante mudança. Muitas de suas prioridades são bem diferentes daquelas de suas mães e avós.

As mulheres optaram por seguir uma carreira porque, além da realização de potencial ou necessidade de contribuir para o orçamento doméstico, querem algumas coisas que os homens têm: dinheiro, prestígio e poder. Estudos apontam que algumas profissionais de sucesso conseguiram também alguns efeitos colaterais: problemas cardíacos, úlcera, estresse e morte prematura. E passaram a beber e fumar como nunca.

Duas em três mulheres se afastam do trabalho nove dias por ano devido ao estresse.

Entre as mulheres que se profissionalizaram, 44 por cento dizem que o trabalho é agora sua maior fonte de estresse. Uma pesquisa da BUPA, uma companhia seguradora inglesa, e da *Top Sante,* uma revista dedicada à vida saudável, em que foram entrevistadas 5.000 mulheres, constatou que 66 por cento delas achavam que o excesso de trabalho estava prejudicando sua saúde.

As mulheres, em sua maioria, afirmaram que, se não fosse pelo dinheiro, preferiam ser donas-de-casa ou "dondocas". Apenas

19 por cento disseram estar mesmo interessadas na carreira. Em pesquisa semelhante, na Austrália, a maternidade foi a escolha número um de ponta a ponta. A carreira só era prioridade máxima para cinco por cento das mulheres entre 18 e 65 anos. Entre as de 31 a 39 anos, 60 por cento apontaram a maternidade como mais importante, contra apenas dois por cento que apontaram a carreira. Entre os 18 e os 30 anos, a maternidade também ultrapassou a carreira, que marcou 18 por cento das preferências.

Mulheres de todas as idades apontaram maciçamente – 80 por cento – criar seus filhos em uma família de modelo tradicional como número um em sua lista de prioridades. Daí se conclui que nem a badalação da mídia nem os movimentos feministas tiveram o impacto que se pensava sobre suas atitudes. Os valores e prioridades da mulher moderna são os mesmos que há séculos fazem parte do mundo feminino, ainda que vividos de forma diferente. A grande diferença é que 93 por cento das mulheres de hoje afirmam que a independência financeira é fundamental e 62 por cento delas querem mais poder político. Em outras palavras: não querem depender dos homens.

Quanto à vida pessoal, o sexo foi prioridade máxima para apenas um por cento das mulheres, ficando 45 por cento para a confiança e 22 por cento para o respeito. Apenas 20 por cento das mulheres afirmaram ter uma vida sexual fantástica. Outras 60 por cento disseram que seus parceiros não eram nenhuma maravilha. Moral da história: a maternidade ainda é o que mais satisfaz as mulheres. Muitas das que trabalham dizem que não poderiam abrir mão do salário que ganham, complemento indispensável ao orçamento familiar. E grande parte acredita que ganhar dinheiro para vestir, alimentar e educar os filhos é uma causa mais nobre do que estar presente o tempo todo. As mulheres gostam mais do que os homens de conviver com as crianças, e muitos homens só vão descobrir isso com seus netos.

A ESCOLHA DA PROFISSÃO

De um modo geral, os homens não mudaram muito: continuam preferindo as carreiras em que usam suas habilidades espaciais. Houve um aumento no número de homens que procuram ocupações tradicionalmente femininas, mas um estudo comprovou que estes têm aspectos femininos na estrutura do cérebro. Isso fica bem claro em cabeleireiros e artistas, por exemplo, e não tão evidente em terapeutas e professores.

Você é uma mulher trabalhando
sob uma hierarquia tradicionalmente masculina?
Então, tem duas opções:
pedir demissão ou se masculinizar.

Em relação à mulher houve várias mudanças. Nos Estados Unidos, 84 por cento da força de trabalho feminina está concentrada nos setores de informação e serviços. No mundo ocidental, de metade a dois terços das novas empresas pertencem a mulheres, e elas ocupam 40 por cento dos cargos executivos, de administração e gerenciamento.

Em hierarquias masculinas tradicionais, a mulher ainda tem que lutar para subir. Algumas mulheres, como já vimos, nem fazem questão desses postos. Na maioria dos sistemas de governo, menos de cinco por cento dos políticos são mulheres. Se você é mulher e trabalha sob hierarquia tradicionalmente masculina, tem dois caminhos para o sucesso: desistir e procurar um emprego em que as mulheres sejam tratadas com imparcialidade ou se comportar de modo mais masculino. A masculinidade ainda abre portas. Estudos confirmam que a mulher com um estilo de roupa mais masculino tem maiores chances de ser contratada para um cargo de chefia do que outra vestida de modo mais feminino – ainda que a responsável pela decisão seja uma mulher. Quando o entrevistador é um homem, costuma preferir as candidatas que não usem perfume.

A FEMINILIZAÇÃO DOS NEGÓCIOS

Características e valores masculinos são largamente responsáveis por levar as pessoas ao alto da escada, mas os valores femininos estão se tornando o único modo de se equilibrar lá.

Tradicionalmente as empresas têm sido controladas por uma hierarquia masculina em que há um líder cujo lema é "faça o que eu digo, senão...". Essas empresas estão se tornando raridade, assim como o valentão da escola, que teve seu período de sucesso no tempo em que a massa muscular era mais importante do que a massa cinzenta e que hoje está completamente fora de moda. Qualquer pessoa que queira chegar ao topo tem que conhecer as prioridades masculinas, mas o sistema de valores femininos funciona muito melhor quando se trata de fazer as coisas funcionarem com eficiência, harmonia e, portanto, sucesso.

Nos mais altos escalões, a ênfase em valores masculinos leva a lutas internas pelo poder. Quando não há acordo, a tendência é seguir "cada um por si", eliminando o espírito de equipe que só pode beneficiar uma empresa.

Os valores femininos, ao contrário, estimulam o trabalho de equipe, a colaboração e a interdependência, que se adaptam melhor aos recursos humanos e à estratégia da organização. Não quero dizer com isso que os homens devam ser femininos nem as mulheres masculinas, mas que homens e mulheres precisam aprender a colaborar mutuamente, aprendendo de que forma a contribuição específica de cada um pode harmonizar-se para o bem da organização.

FINALMENTE...

O relacionamento homem/mulher funciona, apesar das enormes diferenças entre eles. Boa parte do crédito deste sucesso vai para a mulher, que possui a habilidade necessária para administrar o relacionamento e a família. Ela tem a capacidade de perceber o que se esconde por trás de palavras e atitudes, prever o que está por vir e agir antes que o problema se agrave. Só isso seria suficiente para fazer do nosso mundo um lugar bem mais seguro, caso mais nações fossem governadas por mulheres. O homem está mais preparado para perseguir e abater a caça, encontrar o caminho de volta para casa, olhar o fogo e procriar. Precisa aprender novos métodos de sobrevivência no mundo moderno, como fazem as mulheres.

O relacionamento fica difícil quando homem e mulher não reconhecem que são biologicamente diferentes e cada um quer que o outro atenda suas expectativas.

É um risco criarmos meninos e meninas de modos idênticos, ensinando que são iguais e têm as mesmas capacidades. Crescerão sem a consciência de que cada ser humano é único e de que deve ser objeto de uma descoberta permanente. E de que há diferenças determinadas por questões biológicas estruturando homens e mulheres em formas de ser distintas. Então, depois de adultos, se casam. E um dia acordam de manhã e descobrem que não têm nada a ver com a pessoa que está a seu lado. Não há dúvida de que os relacionamentos e casamentos entre os jovens de hoje vão de mal a pior. Qualquer teoria que insista na uniformidade sexual é muito perigosa porque exige o mesmo comportamento de pessoas com circuitos cerebrais completamente diferentes. A boa notícia é: ao entender a origem dessas diferenças, fica mais fácil conviver, administrar, apreciar e até gostar das diferenças entre os sexos. Prever os conflitos que as diferenças podem causar ajuda a prevenir e resolver, quando elas se evidenciam.

A cada dia, exames detalhados do cérebro nos trazem novas e excitantes descobertas sobre o seu funcionamento e explicam muitas coisas. A garota que tem anorexia se olha no espelho e vê uma imagem gorda, obesa. É um tipo de distorção da realidade. O Dr. Bryan Lask, do London's Great Ormond Street Hospital, mapeou o cérebro de jovens anoréticas em 1998 e descobriu que quase todas tinham o fluxo de sangue reduzido na parte que controla a visão. Este é apenas um dos muitos estudos que vêm desvendando o que acontece no cérebro quando as coisas desandam.

Cientistas de toda parte têm apresentado sólidas evidências de que a bioquímica é responsável, ainda no útero, pelo direcionamento da estrutura do cérebro e, como conseqüência, das nossas preferências. Mas nós não precisamos gastar milhões de dólares em equipamentos para perceber que os homens não escutam e as mulheres não entendem mapas. Os equipamentos só explicam por quê.

Ao escrever este livro, trouxemos dados que seu subconsciente provavelmente já conhecia. Só que você não tinha parado para pensar no assunto.

É incrível que, começando o século XXI, as escolas ainda não tenham incluído nos currículos o estudo do relacionamento homem/mulher. Preferem mostrar ratos em labirintos e cachorros salivando quando toca um sino. A ciência é lenta, e os resultados demoram a chegar às escolas.

Conheça outro título de Allan e Barbara Pease

Por que os homens mentem e as mulheres choram?

Por que os homens mentem? Por que eles acham que têm de estar sempre com a razão? Por que evitam se comprometer? E as mulheres, por que choram para conseguir o que querem? Por que insistem num assunto até a morte?

Esse livro é uma preciosa oportunidade para você eliminar um pouco do sofrimento, da angústia e da confusão em sua vida, aprendendo a se mover no labirinto dos relacionamentos e identificar pistas escorregadias, curvas traiçoeiras e becos sem saída.

Com base em pesquisas e estudos científicos, os autores de *Por que os homens fazem sexo e as mulheres fazem amor?* explicam o comportamento sempre imprevisível do "outro sexo".

De forma clara e bem-humorada, eles respondem às nossas principais dúvidas e apresentam soluções práticas para tornar a convivência entre homens e mulheres mais prazerosa.

Conheça outros importantes títulos da Editora Sextante

Francisco Daudt da Veiga

O amor companheiro

"O amor companheiro é o acolhimento da nossa maior autenticidade, o descanso dos papéis sociais representados, a tolerância sem superioridade com nossas mesquinharias e nossos momentos de alma pequena, quando nada vale a pena. É o único lugar onde se pode falar abobrinhas alternadas com as mais sérias confidências, aquilo que se fala para quem se confia, em quem se tem fé, em quem se acredita."

Francisco Daudt da Veiga

Rachel Greenwald

Como encontrar um marido depois dos 35

Como encontrar um marido depois dos 35 foi escrito pensando em você, que não quer encontrar um marido qualquer, mas alguém especial. Esse homem está por aí. Pode ser tímido, viver ocupado ou apenas não saber onde se escondem as maravilhosas mulheres solteiras como você. Ele sente-se só e também está à procura do amor. Você vai aprender a encontrá-lo lendo esse livro.

Rachel Greenwald criou um programa de 15 passos baseado nas estratégias de marketing que aprendeu na Harvard Business School para ajudá-la no estágio mais difícil para as mulheres depois dos 35 anos: a procura por um parceiro. Você terá desafios específicos a vencer, mas, se estiver mesmo disposta, atingirá seu objetivo. Como diz a autora, "não quero mudar você, quero mudar o que você faz".

David Niven

Os 100 segredos dos bons relacionamentos

Por que tantos casais apaixonados acabam se separando depois que vão morar sob o mesmo teto? Quais são os segredos para se manter um relacionamento rico e amoroso em meio às demandas do trabalho, dos filhos e dos nossos próprios sonhos e planos?

Depois de analisar estudos e pesquisas científicas sobre os hábitos de namoro e casamento de milhares de pessoas, o psicólogo e cientista social David Niven reuniu dicas, conselhos e histórias para orientar todos aqueles que desejam ter uma relação sólida e feliz.

Os 100 segredos das pessoas felizes

Baseado em pesquisas e estudos de cientistas junto a milhares de pessoas, David Niven descobriu os 100 segredos mais simples que são realmente capazes de tornar as pessoas felizes.

E como a leitura de um complicado tratado científico pode ser causa de infelicidade, esses segredos são apresentados de forma interessante e com exemplos que vão nos fazer identificar as situações descritas e compreendê-las.

Iyanla Vanzant

Enquanto o amor não vem

"Haverá um momento em sua vida em que o amor vai chegar. Antes disso, você terá feito tudo o que podia, tentado tudo o que podia, sofrido o quanto podia e desistido muitas vezes.

Mas, com certeza, posso lhe garantir que esse dia virá. Nesse meio tempo, esse livro vai lhe contar muitas histórias e lhe ensinar algumas coisas que você pode fazer para se preparar para o dia mais feliz de sua vida: o dia em que experimentar o amor verdadeiro."

A vida vai dar certo para mim

Esse livro é um guia para o crescimento pessoal e espiritual, uma esplêndida oportunidade de você se conhecer. Quando se dedica a curar o seu mundo interior, se amando e se respeitando, todas as riquezas deste mundo vêm até você. Com a intensidade de suas palavras, Iyanla Vanzant oferece 365 lições de vida, uma para cada dia do ano.

Shere Hite e Philippe Barraud

O orgulho de ser mulher

Numa discussão apaixonante, Shere Hite nos permite compreender melhor a evolução da sexualidade, da família e da sociedade, esclarecendo a importância do papel que as mulheres têm a desempenhar neste início do século XXI.

A partir dos Relatórios Hite, uma vasta pesquisa com dez mil mulheres e homens com idades entre 15 e 80 anos, a autora chegou a descobertas que revolucionaram a sexualidade de homens e mulheres e ainda hoje nos fazem rever velhos preconceitos, tabus e estereótipos.

Neale Donald Walsch

Aprendendo a conviver com quem se ama

Os relacionamentos são a experiência mais importante de nossa vida. Nós nos relacionamos o tempo inteiro com a família, com os amigos, com o trabalho e com nós mesmos. Nada nos dá tanta alegria quanto conviver com quem amamos. Mas também não há nada tão complicado e doloroso.

Mesmo pessoas confiantes e competentes são diariamente confrontadas com a dificuldade de relacionar-se até com seus seres mais queridos.

Nesse livro você vai encontrar ajuda para tentar construir relacionamentos mais felizes.

Hugh Prather

Não leve a vida tão a sério

A vida não precisa ser tão complicada quanto insistimos em torná-la. A simples decisão de não se agarrar aos problemas pode melhorar – e muito – nossas vidas. É isso o que Hugh Prather nos mostra, com humor e clareza, nesse livro. Ele escreve sobre as dificuldades do dia-a-dia e nos dá ferramentas para contorná-las, mudando o que há de mais importante na vida: nossa atitude mental e a forma de reagir aos inevitáveis contratempos.

Alexandra Robbins e Abby Wilner

A Crise dos 25

Embora a fase entre os 20 e os 30 anos seja uma das melhores da vida, também é marcada por uma dura e nem sempre reconhecida transição para o "mundo real". *A Crise dos 25* é o primeiro livro a tratar desse fenômeno. Ele conta as histórias de jovens que descrevem seus desejos, dúvidas e desafios em relação a trabalho, dinheiro, independência, realização pessoal e relacionamentos.

A combinação de novas responsabilidades com uma liberdade nunca antes obtida deixa os jovens indecisos e vulneráveis, fazendo-os alternar fases de euforia e de insegurança, quando questionam se estão mesmo no caminho certo. Em relatos sinceros, eles ganham voz nesse livro, expressando não só suas frustrações e angústias como as conquistas e descobertas que os fazem seguir em frente.

Nina Wise

Uma vida plena, livre, feliz e fora do comum

Neste mundo agitado parece que nunca sobra tempo para cuidarmos do nosso bem-estar. Há sempre algo mais a fazer, uma fila a mais a enfrentar, um compromisso a mais a cumprir. E lá se vão nossa energia e entusiasmo para fazer qualquer coisa diferente.

Foi para nos estimular a sair desse círculo vicioso que Nina Wise escreveu esse livro. Ela ensina que a auto-expressão e a espontaneidade podem aliviar as frustrações porque renovam e desenvolvem a vitalidade da alma. De maneira original, Nina Wise nos mostra como levar criatividade ao nosso dia-a-dia por meio do canto, da dança, da poesia, da arte visual e de outras atividades, transformando a rotina numa inesgotável fonte de alegria.

Nicholas Boothman

Como fazer as pessoas gostarem de você à primeira vista

Ex-fotógrafo de moda e publicidade, Nicholas Boothman percebeu que a atitude e a linguagem corporal dos modelos que fotografava eram bem mais importantes do que a beleza na hora de criar uma forte impressão visual. Essa descoberta o levou a pesquisar o assunto e se tornar, com o passar dos anos, um dos maiores especialistas na arte da imagem e da comunicação pessoal.

Nesse livro, Boothman ensina inúmeras formas de criar empatia, como adotar uma atitude positiva, desenvolver a habilidade para conversar, saber como abordar as pessoas, prestar atenção ao que os outros estão dizendo e ser o mais natural possível.

Tony Parsons
Marido e mulher

Tony Parsons narra as aventuras e desventuras de Harry Silver, um complicado produtor de televisão de Londres aprendendo a ser pai do próprio filho. Depois de perder a guarda de Pat para a ex-mulher, Harry dá a volta por cima e se casa novamente. Esperando encontrar compreensão, paixão e cumplicidade, ele aposta todas as fichas na felicidade com a nova família.

Atual, ágil e emocionante, *Marido e mulher* é uma história sobre amor e casamento, pais e filhos, homens e mulheres – o retrato de todos nós. Mais do que uma ficção, é uma irreverente e emocionante crônica sobre os relacionamentos e os tempos modernos que vai fazer você repensar o que sente em seu próprio coração.

Mitch Albom
As cinco pessoas que você encontra no céu

Mitch Albom narra a história de Eddie, mecânico de um parque de diversões que morre no dia de seu aniversário de 83 anos tentando salvar uma garotinha. Imerso numa rotina de trabalho e solidão, ele passou a vida se considerando um fracassado. Ao acordar no céu, encontra cinco personagens inesperados que lhe mostram como ele foi importante.

Esse livro foi escrito para cada um de nós, pois freqüentemente nos sentimos frustrados e inúteis – assim como Eddie – por não termos realizado nossos sonhos. Ele nos lembra que vivemos numa ampla teia de ligações e que temos o poder de mudar o destino dos outros com um pequeno gesto, e nos faz descobrir a importância da lealdade e do amor em nossas vidas.

Hal Urban

As grandes lições da vida

O que é essencial? Hal Urban responde a essa pergunta reunindo as 20 lições de vida que precisamos aprender para alcançar o sucesso e a felicidade. Sem propor fórmulas mágicas ou métodos fantásticos, esse livro nos fala de valores eternos como respeito, bondade, honestidade, compromisso e trabalho duro e nos ensina a dar valor ao que realmente é importante em nossa vida.

Philip Gulley

Criando raízes

Criando raízes é um livro mágico. Suas histórias vão transportar você para a vida de uma cidade pequena, onde a fartura de tempo, tranqüilidade e segurança faz com que as pessoas e os acontecimentos comuns do dia-a-dia, para os quais geralmente damos pouca importância, ganhem significado, gosto e relevância.

É por essa capacidade de transformar o comum em extraordinário que Philip Gulley, um pastor quacre do interior dos Estados Unidos, se tornou tão admirado e querido por leitores do mundo inteiro. Suas histórias são fonte de inspiração para uma vida tranqüila, intensa, feliz e divertida.

Álex Rovira e Fernando Trías de Bes

A Boa Sorte

Se você sempre acreditou que a sorte é uma questão de acaso, esse livro vai fazer você rever este conceito e trará uma grande transformação em sua vida. Nessa fábula de linguagem cativante e inspiradora há uma lição simples mas profundamente significativa: a sorte nada tem a ver com um acontecimento fortuito – cabe a nós criarmos as condições para que ela aconteça em nossa vida.

Publicada em mais de 60 países e comparada com clássicos como *O alquimista* e *Quem mexeu no meu queijo,* essa fábula mostra como criar as condições favoráveis para que a boa sorte chegue a você mesmo nas circunstâncias mais difíceis.

Jack Canfield e Mark V. Hansen

Histórias para aquecer o coração – Edição de ouro

Essa Edição de Ouro é um marco da série *Histórias para aquecer o coração.* Ela reúne os textos inspiradores que deram origem à coleção, sucesso absoluto entre leitores de todas as idades, com mais de 70 milhões de exemplares vendidos em todo o mundo.

Jack Canfield e Mark Victor Hansen foram buscar, entre milhares de relatos reais de pessoas como você, histórias comoventes que nos levam a refletir sobre a importância do amor, da amizade e do otimismo em nossas vidas.

Dan Brown

O Código Da Vinci

Um assassinato dentro do Museu do Louvre traz à tona uma sinistra conspiração para revelar um segredo que foi protegido por uma sociedade secreta desde os tempos de Jesus Cristo. A vítima é o respeitado curador Jacques Saunière, um dos líderes dessa antiga fraternidade, o Priorado de Sião, que já teve como membros Leonardo da Vinci, Victor Hugo e Isaac Newton.

Momentos antes de morrer, ele consegue deixar uma mensagem cifrada na cena do crime que apenas sua neta, a criptógrafa Sophie Neveu, e Robert Langdon, simbologista de Harvard, podem desvendar. Eles transformam-se em suspeitos e em detetives enquanto tentam decifrar um intricado quebra-cabeça que pode lhes revelar um segredo milenar que envolve a Igreja Católica.

Anjos e Demônios

Quando o famoso simbologista Robert Langdon é convocado para analisar um misterioso símbolo – marcado a fogo no peito de um físico assassinado –, ele descobre indícios de algo inimaginável: o ressurgimento de uma antiga fraternidade secreta. Os Illuminati estão de volta para levar a cabo a fase final de sua lendária vendeta contra seu inimigo mais odiado: a Igreja Católica.

Os piores temores de Langdon confirmam-se às vésperas de um importante conclave do Vaticano, quando um mensageiro dos Illuminati anuncia que estes esconderam uma bomba-relógio impossível de ser desativada no próprio coração da Cidade do Vaticano. Com a contagem regressiva já iniciada, Langdon voa para Roma a fim de juntar forças com Vittoria Vetra e ajudar o Vaticano em uma desesperada tentativa de sobrevivência.

Conheça os 25 clássicos da Editora Sextante

– *Um dia daqueles, Querida mamãe* e *O sentido da vida,* de Bradley Trevor Greive

– *Você é insubstituível, Pais brilhantes, professores fascinantes* e *Dez leis para ser feliz,* de Augusto Cury

– *O Código Da Vinci,* de Dan Brown

– *Palavras de sabedoria, O caminho da tranqüilidade* e *Uma ética para o novo milênio,* de Dalai-Lama

– *Os 100 segredos das pessoas felizes, Os 100 segredos das pessoas de sucesso* e *Os 100 segredos dos bons relacionamentos,* de David Niven

– *Por que os homens fazem sexo e as mulheres fazem amor?,* de Allan e Barbara Pease

– *Não leve a vida tão a sério,* de Hugh Prather

– *Enquanto o amor não vem,* de Iyanla Vanzant

– *A última grande lição,* de Mitch Albom

– *A Dieta de South Beach,* de Arthur Agatston

– *Histórias para aquecer o coração,* de Mark V. Hansen e Jack Canfield

– *A divina sabedoria dos mestres* e *Só o amor é real,* de Brian Weiss

– *O ócio criativo,* de Domenico De Masi

– *Em busca da espiritualidade,* de James Van Praagh

– *A vida é bela,* de Dominique Glocheux

– *O outro lado da vida,* de Sylvia Browne

Informações sobre os próximos lançamentos

Para receber informações sobre os lançamentos da
EDITORA SEXTANTE, basta enviar um e-mail para
atendimento@esextante.com.br
ou cadastrar-se diretamente no site
www.sextante.com.br

Para saber mais sobre nossos títulos e autores, e enviar seus
comentários sobre este livro, visite o nosso site:
www.sextante.com.br

Editora Sextante
Rua Voluntários da Pátria, 45/1.404 – Botafogo
Rio de Janeiro – RJ – 22270-000 – Brasil
Telefone (21) 2286-9944 – Fax (21) 2286-9244
E-mail: atendimento@esextante.com.br